D1165825

DEMOCRATIE FRANÇAISE

V. GISCARD D'ESTAING

DEMOCRATIE FRANÇAISE

FAYARD

pour Marianne
et pour Gavroche

PRÉFACE 15

PREMIÈRE PARTIE

La France telle qu'elle est

Chapitre I. Le diagnostic. 25
Chapitre II. Les limites des idéologies traditionnelles. 39

DEUXIÈME PARTIE

La société à partir de l'homme

Chapitre III. Vers l'unité par la justice. 53
Chapitre IV. Une communauté d'hommes libres et responsables. 71
Chapitre V. Une société de communication et de participation. 83

TROISIÈME PARTIE

Pour que vivent les libertés

Chapitre VI. Pluralisme et liberté. 95
Chapitre VII. Patrimoine et liberté. 107

QUATRIÈME PARTIE

L'organisation des pouvoirs dans la démocratie française

Chapitre VIII. La conduite de l'économie et du développement social. 115
Chapitre IX. La nouvelle croissance. 127
Chapitre X. Liberté, ordre et sécurité. 137
Chapitre XI. Une démocratie forte et paisible. 145
Chapitre XII. La démocratie française dans le monde. 159

CONCLUSION

Une ambition pour la France 169

PRÉFACE

Aucune société ne peut vivre sans un idéal qui l'inspire ni une connaissance claire des principes qui guident son organisation. Les périodes de grande civilisation sont celles où ces deux conditions sont réunies.

Plus que tout autre, l'esprit français éprouve ce besoin de comprendre. Nos concitoyens veulent savoir selon quels principes ils sont gouvernés et vers quel avenir ils se dirigent.

J'écris pour la France.

Il y a deux ans, nous étions dans la campagne présidentielle, ardente, spontanée.

Chacun de ceux qui y participaient à mes côtés savait où elle conduisait, par l'intuition de son propre enthousiasme. Nous luttions pour une société libre, fraternelle, posant loyalement les problèmes, écartant les préjugés, une société d'unité et de volonté, s'inscrivant dans le contenu de notre paysage et les traits de notre caractère, une société de liberté et de progrès à la française. Ainsi, l'objectif était clair.

Je suis devenu Président de la République Française, titre impressionnant, quand on songe à notre histoire, et que je ne trace pas sur le papier sans ressentir — quitte à faire sourire certains — une profonde émotion de l'appliquer à moi-même. Président de tous les Français, chargé de maintenir nos institutions, j'ai eu aussi, du fait même de l'élection, à conduire une action.

Depuis deux ans, une œuvre a été entreprise. Parcourons-la :

L'âge de la majorité abaissé à 18 ans;

L'indépendance donnée aux chaînes de télévision; le droit reconnu à l'opposition, et utilisé par elle, de déférer les lois au Conseil constitutionnel; les écoutes téléphoniques supprimées; la censure politique au cinéma abandonnée;

Le même collège rendu obligatoire pour tous les jeunes Français, égalisant davantage leurs chances; un effort d'adaptation des universités à la préparation de la vie active;

L'augmentation du minimum vieillesse de 63 %;

Le maximum légal de la durée du travail ramenée de 54 à 50 heures; l'âge de la retraite abaissé à 60 ans pour deux millions de travailleurs manuels; la politique contractuelle orientée vers la revalorisation des salaires de ces mêmes travailleurs; les principes d'une réforme progressive de l'entreprise présentés au Parlement.

Les plus-values constitutives d'un revenu imposées, les tantièmes abolis;

L'égalité effective des femmes et des hommes recherchée dans tous les domaines de la vie politique et sociale; l'interruption de grossesse humanisée, la contraception facilitée, l'adoption encouragée;

Notre législation en faveur des handicapés portée au niveau des plus avancées;

Le cours de la justice rendu plus rapide dans les grandes agglomérations; la détention provisoire plus étroitement limitée, la condition pénitentiaire humanisée; le contrôle de l'exécution des peines renforcé;

Un coup d'arrêt donné, dans les villes, au gigantisme destructeur et niveleur; l'amélioration de la qualité de la vie retenue comme objectif essentiel de l'action gouvernementale; l'écologie introduite dans l'étude de tous les grands projets; une politique d'ensemble mise en place pour les espaces verts autour des grandes villes; le sport doté d'un statut moderne; les métiers d'art protégés;

L'impôt des patentes réformé; les collectivités locales progressivement créditées par l'État de l'équivalent de la T.V.A. qui pèse sur leurs investissements; une réflexion entreprise en vue de permettre, dans notre pays de vieille centralisation, l'exercice d'un véritable pouvoir local, et d'abord communal.

Ces efforts, ceux qui ont abouti, ceux qui sont en cours, ceux qui sont projetés, ont un même but : réaliser le changement attendu de la société française. Si les fils sont de multiples couleurs, le dessin est un.

Pourtant, l'opinion aperçoit moins clairement ce dessin qu'au moment où elle le devinait par son instinct. Elle est déroutée, tantôt par les modalités de projets jugés compliqués, tantôt par la clameur des intérêts particuliers, qui trouvent d'abondants et surprenants relais, tantôt par la lenteur avec laquelle est conduite telle ou telle réforme. Or elle a le droit de comprendre.

Et j'ai, dans ma fonction, le devoir de lui répondre.

Je vais tenter de le faire.

Je me suis accoutumé à prendre la perspective de l'histoire d'un autre point de vue que celui de mon sort personnel.

J'écris aussi pour les Français.

***

L'histoire d'un peuple, à partir du moment où il possède des institutions démocratiques, est celle d'une succession de choix. L'histoire à venir des Français dépendra des choix qu'ils feront eux-mêmes.

Il est tentant de croire que chacun de ces choix est décisif. Tous les hommes politiques, dont le sort individuel ou les ambitions s'y trouvent liés, sont évidemment portés à le penser. Mais seule la perspective historique permet, *a posteriori*, de le savoir.

Il semble cependant que l'orientation que la France prendra au cours des dix prochaines années aura ce caractère. Or la France hésite sur la route à suivre.

Dans trois circonstances, en juin 1968, en mars 1973 et en mai 1974, son instinct lui a fait rejeter la voie dangereuse qu'on lui proposait, marquée en 1968 par les désordres du mois de mai et la singulière tentative d'appropriation du pouvoir qui les a suivis et, en 1973 et en 1974, par la perspective de l'application du programme commun.

Mais dès que les plus grands périls s'éloignent, ou aussitôt qu'apparaissent les difficultés du moment, liées soit à la situation économique, soit aux remous qui accompagnent les changements nécessaires, la France à nouveau s'interroge : n'existe-t-il pas une alternative qui serait plus tentante, plus facile, et même plus généreuse ?

Le choix n'est pourtant pas lié à des circonstances immédiates. C'est une détermination fondamentale : celle du cadre dans lequel se déroulera, par la suite, l'évolution de la société française et à l'intérieur duquel pourront s'exprimer d'autres préférences, se marquer d'autres orientations.

Je voudrais rendre l'opinion consciente de l'enjeu, c'est-à-dire à la fois lui faire mesurer le risque de certaines options qu'on lui propose, et lui faire saisir la chance extraordinaire qui s'offre aux sociétés démocratiques, au moment où le monde va basculer dans le troisième millénaire.

La société française est riche, même si le mot choque, dans un univers peuplé de démunis, libre parmi des nations qui n'ont pas encore atteint le stade de la démocratie, paisible sur une terre qu'imprègne ailleurs le sang rouge des guerres, et le sang noir des luttes civiles.

Elle fait partie du petit groupe des nations, qui, au prix de beaucoup de travail et de souffrance accumulés, s'arrachent aux contraintes avilissantes de la faim, de la misère et de la maladie. Tout nous indique, et notamment le progrès ininterrompu des sciences et des techniques, que nos sociétés sont appelées à évoluer aussi rapidement au cours du prochain demi-siècle. Quelle chance historique pour nous de prendre conscience des données du moment, de nous évader des routines, toujours pesantes, et du conservatisme, toujours triste, et d'ouvrir de nouvelles routes !

Mais aussi quelle dérision de voir les talents de ce peuple, éveillé et raisonnable, englués dans les dogmatismes vieux de plus d'un siècle, et comme paralysés par le catéchisme des idées reçues ! Et quel regret de constater, au regard du grand courant de l'époque, que les échéances électorales, jalonnant notre vie politique, soient si souvent centrées sur des choix dépassés !

Le projet que voici est conçu pour la France, en fonction de sa double réalité historique et sociale. Une nation moderne est une communauté humaine, faite verticalement de son histoire et de ses traditions et horizontalement des différents groupes humains qui la composent. La France est, à cet égard, une spécificité distincte de toute autre. Ce que je décris et ce que je propose s'applique à elle, même si certains traits de l'analyse ont une portée plus générale.

J'ai l'ardente conviction que le choix que nous proposons à la France est le bon choix pour elle. Je l'écris sans hésitation, après avoir étudié son histoire, observé sa politique, et recherché la solution de ses problèmes concrets.

Je suis également persuadé que si ce projet est clairement proposé aux Français, c'est-à-dire exactement expliqué, sans faux-semblant et sans ambiguïté, une large majorité — je dis bien large — choisira notre société de liberté et de progrès, la seule qui puisse constituer une référence française et rendre à notre pays sa mission d'inventeur d'idées.

D'où l'importance de l'explication et de la communication.

L'explication, la voici. Sans doute un peu austère, de lecture difficile, mais respectueuse de votre droit de connaître et de juger.

Puis la communication : je souhaite que ce texte vous parvienne. Je ne parle pas de son envoi matériel. Je ne parle même pas de sa lecture. Je parle de cette compréhension qui fait que deux esprits s'ouvrent soudain l'un à l'autre, et qu'une même conviction s'en empare et les éclaire.

Comment concevoir cette démocratie française ?
Et d'abord où en sommes-nous ?

Je vais essayer de répondre.

Le 1er mai 1976.

PREMIÈRE PARTIE

LA FRANCE TELLE QU'ELLE EST

CHAPITRE I

LE DIAGNOSTIC

Les Français d'aujourd'hui ont du mal à comprendre la société dans laquelle ils vivent. La rapidité des transformations qu'elle a subies, le caractère contradictoire des résultats auxquels ces transformations ont conduit, l'impuissance des idéologies traditionnelles à leur fournir des perspectives qui les satisfassent complètement expliquent cette perplexité.

Les traits de notre caractère national ajoutent à cette difficulté : beaucoup de nos compatriotes sont persuadés qu'ils aimeraient mieux vivre dans un monde semblable à celui du passé, paisible, rustique, familier — à condition qu'il soit économiquement et socialement transformé — et ils ressentent en même temps l'inévitabilité du changement. Ils aspirent à un ordre qui soit à la fois semblable et meilleur. Mais ils éprouvent de la peine à le définir. D'où bien davantage qu'un malaise, une anxiété profonde. Ils redoutent leur avenir, plus qu'ils ne l'aiment.

Qu'est-il arrivé à la société française?

Avant la guerre, et encore au début des années 50, la

France offrait l'image d'une société à la fois évoluée et traditionnelle.

Évoluée : que l'on pense à la qualité de sa vie intellectuelle, à l'invention de son art, à la variété et au talent de sa vie politique, à sa contribution, malheureusement déclinante, au progrès des sciences.

Traditionnelle, car rurale et économe, masculine et gérontocratique, centralisée et hiérarchisée.

Dans la France de ce temps-là, les distances sociales restaient immenses, plus grandes en tout cas que dans des pays comparables, tels que les États-Unis et l'Allemagne. Les réussites exceptionnelles des enfants les plus doués de l'école républicaine ne suffisaient pas à dissimuler l'épaisseur du cloisonnement social. Les classes sociales étaient fortement différenciées dans leur niveau de vie, leur genre de vie — qu'il s'agisse du costume, de la nourriture, de l'habitat — leur langage, leur mentalité. Le grand bourgeois, le petit bourgeois, l'ouvrier, le paysan : les films d'avant-guerre nous ont conservé leurs images, vivantes et contrastées. Tout séparait les classes sociales. On ne passait que malaisément, et rarement, de l'une à l'autre.

Si elle était réellement libérale dans ses structures politiques, cette société exerçait de puissantes contraintes sur l'individu. Les grandes institutions sociales que sont la famille, l'école, l'Église et bien entendu l'État, imposaient leur autorité sans partage, même si c'était d'une manière débonnaire.

En vingt-cinq ans, une sorte d'ouragan s'est abattu sur ce monde tranquille. Une révolution plus puissante que toutes les révolutions politiques s'est accomplie au sein de la société française, atteignant toutes ses structures, la famille, l'école, l'université, l'église, les mœurs. Elle a été entraînée par la combinaison de trois facteurs : une croissance économique sans précédent, la diffusion massive de l'éducation, et l'irruption permanente des moyens audio-visuels dans la vie individuelle.

Entre 1950 et 1975, soit en vingt-cinq ans, à peine le temps pour les fils de la guerre de devenir pères, le produit national, en volume, a été multiplié par plus de trois et la consommation réelle par tête par près de trois ; le taux de mortalité infantile a été divisé par quatre, l'espérance de vie des hommes a augmenté de six ans et celle des femmes de huit ans. La part de l'alimentation dans nos dépenses a diminué de moitié, celle de l'hygiène et de la santé a triplé. Le nombre des bacheliers a sextuplé. Le minimum vieillesse a quadruplé en valeur réelle. Huit millions et demi de logements ont été construits. Il y a vingt-cinq ans, personne n'avait ni machine à laver, ni télévision ; en 1975, sept ménages sur dix ont la première, neuf sur dix la seconde. En 1953, possédaient une voiture : 8 % des ouvriers, 32 % des cadres moyens, 56 % des cadres supérieurs. En 1972 : 66 % des ouvriers, 86 % des cadres moyens, 87 % des cadres supérieurs.

Les choses changent si vite que les mots ne parviennent pas à les suivre. Dira-t-on qu'il y a aujourd'hui deux fois moins de paysans qu'en 1950 ? Ou qu'il n'y a plus de paysan du tout, au sens que ce mot avait il y a vingt-cinq ans ? Le paysan est réellement devenu un exploitant agricole, agent qualifié de l'économie. Il a changé comme a changé le blé qu'il récolte : ce sont d'autres espèces, plus éloignées de celles qu'il cultivait au lendemain de la guerre que celles-ci ne l'étaient des espèces cultivées trois siècles plus tôt. La puissance motrice installée chez l'exploitant agricole d'aujourd'hui est supérieure à celle de l'industriel d'autrefois. Quoi d'étonnant si sa façon de penser, de vivre et d'agir n'a plus beaucoup de points communs avec ce que l'on observait il y a vingt-cinq ans ? Ce qui est vrai de l'agriculteur, symbole de stabilité, l'est de chaque profession, de chaque activité. Les mots sont restés les mêmes, mais le pays est autre, plus différent de la France de 1950 que celle-ci de la France de 1870.

Les circonstances politiques que nous avons traversées ont partiellement dissimulé l'ampleur de cette évolution.

D'abord parce qu'elle a été accomplie dans une période d'exceptionnelle stabilité politique. Nos institutions, établies en 1958 et en 1962 sous l'impulsion du Général de Gaulle, après avoir été violemment combattues par une fraction du corps politique, ne paraissent plus réellement contestées. Situation plus exceptionnelle dans notre histoire, les Français ont le sentiment de disposer, dans son ensemble, d'un système politique adapté à la conduite d'un État moderne.

Ensuite parce que la stabilité du pouvoir politique, et donc celle des hommes en place, due simplement à la fidélité du suffrage, a pu donner l'illusion d'une situation immuable, alors que le pays était ébranlé jusque dans son tréfonds. Le bouleversement s'est accompli sans les coups de clairon des révolutions politiques, comme à l'insu de tous, ce qui explique la difficulté qu'éprouve l'opinion à le mesurer et à en saisir la nature.

Pourtant, le caractère français, lui, est resté identique. Rapide, jusqu'à être changeant; généreux par élan, mais replié sur un instinct terrien de la possession; avide de discussion, mais préférant parfois le fait accompli; ardemment fier de la France, mais peu informé du jugement extérieur; remueur de toutes les idées, mais conservateur de tout ce qui l'entoure; spirituel, délicat, décent, mais aimant la plaisanterie facile, la ripaille, la contestation. Affectant le cynisme, hâbleur, mais au total le peuple le plus sensible du monde. C'est pourquoi la démocratie conçue pour la France tiendra nécessairement compte du caractère français, de l'esprit de Gavroche et de la gentillesse souriante de Marianne.

Le résultat de cette évolution est avant tout un immense progrès.

Le progrès étant, comme le bonheur pour les individus et la paix pour les peuples, ce qui se remarque le moins, il n'est pas inutile de rappeler quelques faits, dont je souhaite que le lecteur, négligeant un instant les préjugés et les « malaises », mesure exactement la portée.

Progrès national : la France a cessé d'être dans le monde une curiosité archéologique et gastronomique, pour devenir un pays moderne et respecté.

Troisième puissance exportatrice du monde, à égalité avec le Japon, devançant de 56 % le produit national britannique, et marquant ainsi un avantage dans la plus longue compétition historique d'Europe, elle s'est dotée d'un outil de production efficace. Par ce moyen, elle a élargi, comme nation, sa marge d'action et de liberté.

Progrès matériel et social : le pouvoir d'achat des travailleurs a pratiquement triplé en vingt-cinq ans. Si cette évolution nous paraît désormais aller de soi, qu'on se souvienne combien sa possibilité était controversée il y a peu d'années. C'est dans les années 50 que Maurice Thorez soutenait encore la thèse de la paupérisation absolue des travailleurs.

La prise de conscience de cette évolution est contrariée par la dévalorisation de la monnaie, qui brouille la perception des ordres de grandeur. Le phénomène n'en est pas moins indiscutable. Il apparaît si l'on observe le prix « réel » des biens, c'est-à-dire, le temps de travail nécessaire pour les acquérir : en vingt ans, de 1956 à 1976, les prix des produits alimentaires, rapportés au salaire horaire, sont passés de l'indice 100 à l'indice 53; et ceux des produits manufacturés de 100 à 41,5. Ainsi, pour gagner de quoi acheter les mêmes biens, les Français ont besoin de travailler deux fois moins qu'il y a vingt ans.

Si éloquents soient-ils, ces chiffres ne donnent qu'une idée insuffisante du rapprochement des modes de vie. Car lorsque l'ensemble des revenus augmente, même si leur écart monétaire ne se réduit pas, les manières de vivre se rapprochent : nourriture, vêtements, vacances, et même, quoiqu'à un moindre degré, logement. Au-delà d'un certain seuil, comme on l'observe aux États-Unis ou dans les pays scandinaves, le même revenu additionnel n'entraîne qu'une différenciation sociale plus réduite.

Enfin, la diffusion massive de l'audio-visuel conduit la

totalité de la population à recevoir chaque jour la même information, et à assister chaque soir au même spectacle, c'est-à-dire à partager les mêmes biens culturels. Bons ou moins bons, c'est une autre affaire, sur laquelle je reviendrai, mais en tout cas, pour la première fois depuis notre préhistoire, les mêmes.

Progrès individuel enfin : l'histoire de la société française est celle de l'effort millénaire de l'individu en vue d'accroître et d'affirmer son autonomie. A aucun moment, sinon peut-être dans les toutes premières années de la Révolution française, un chemin aussi important n'a été parcouru si rapidement.

L'émancipation matérielle et juridique de la femme, même si elle n'est pas encore achevée, a franchi depuis deux ans une étape qui nous place en tête de l'évolution mondiale dans ce domaine; celle des jeunes a été récemment confirmée par la loi. Jamais aucune des générations précédentes n'avait commencé à disposer de pareilles possibilités de choix. La liberté individuelle cesse d'être un droit abstrait pour se matérialiser dans la vie quotidienne.

Ces progrès, ces résultats, dès lors qu'ils sont scientifiquement observés, prouvent la capacité de notre type de société à conduire et à absorber le changement. Ils devraient entraîner une confiance presque unanime en elle. Mais pendant que ces progrès s'accomplissaient, un nouvel ensemble de problèmes, ceux que la croissance a posés, et ceux que la croissance n'a pas résolus, venait encombrer le chemin, comme pour nous rappeler que le progrès de l'espèce humaine n'est pas linéaire, qu'il ne s'accomplit pas vers un horizon fixe et dégagé, mais qu'il ressemble à la poussée biologique de la nature, qui oblige chaque année à débroussailler, à semer et à ordonner, comme si, en apparence, aucun effort n'était jamais achevé.

Ces problèmes, nouveaux ou non résolus, sont de trois sortes : les uns concernent les rapports entre les groupes sociaux ; d'autres, la place de l'individu dans la société ; le dernier intéresse la société elle-même, puisqu'il s'agit de sa vitalité démographique.

Le fonctionnement quotidien de l'organisation sociale, qui règle les rapports entre les groupes qui la composent, n'est pas encore suffisamment conforme à l'aspiration de justice qui parcourt notre société.

La croissance économique, comme les données objectives le démontrent, a profondément réduit les inégalités sociales. La lecture de Zola ou des nouvelles paysannes de Maupassant peut en convaincre tous ceux qui ne cèdent pas à la persuasion des chiffres. Néanmoins, la croissance n'a pas fait disparaître les inégalités, et elle en a parfois créé de nouvelles.

Les inégalités de l'âge antérieur, que l'évolution récente n'a pas encore permis de résorber, sont celles dont souffrent les femmes, notamment dans leur vie professionnelle ; celles qui affectent certaines zones de pauvreté de notre territoire, à vocation agricole ou industrielle; celles qui s'observent dans les chances des enfants, d'autant plus injustes qu'elles sont souvent cumulatives : les handicaps liés à l'insuffisance des ressources, à la désorganisation du milieu familial, à la faiblesse de l'environnement culturel se superposent fréquemment sur la même tête.

Quant aux inégalités nouvelles, on les dirait favorisées par la croissance économique elle-même : à l'un des deux bouts de la chaîne, voici ceux que l'on nomme les « exclus », c'est-à-dire ceux qui, ne pouvant participer par leur travail aux activités productives, ont été longtemps tenus à l'écart de la répartition des richesses. C'est le cas de beaucoup de personnes âgées, parfois privées, en outre, par la complexité des mécanismes administratifs, des concours sociaux qui leur sont destinés. A l'autre bout, voilà ceux qui, sans apporter de contribution réelle à l'effort collectif de développement, ont su se placer en un lieu bien choisi, comme jadis les brigands tenaient un pont ou une route sur le passage des marchands, leur permettant de prélever des rentes ou des avantages exorbitants sur le travail d'autrui.

Le second groupe de problèmes tient aux rapports difficiles qui s'établissent entre l'individu et la société.

La croissance économique a permis une émancipation réelle de l'individu à l'égard des contraintes qui l'oppressaient ou des fatalités qui l'angoissaient. Mais elle s'est accompagnée, comme chacun le ressent et, alternativement, le réclame et le rejette, d'une dépendance plus étroite de l'individu vis-à-vis de la société tout entière.

Dépendance à l'égard de la société de consommation : des activités élémentaires, qui étaient exercées jadis, au moins pour une large part, de façon autonome par l'individu ou sa famille — se nourrir, se déplacer, se distraire — ont été transférées vers le système marchand : les exemples vont de l'alimentation et de l'habillement à l'organisation des vacances, en passant par les soins de beauté ou la gestion de l'épargne familiale. Il en résulte une élévation de la qualité des biens et des services auxquels les consommateurs ont accès, mais aussi, en contrepartie, une dépendance accrue de chacun vis-à-vis des services et des biens que l'économie lui fournit.

Dépendance symétrique à l'égard de la société de services collectifs : le développement des services communs de toute nature, notamment en matière de santé, d'éducation et de transport, met à la disposition de l'individu, de sa famille, de ses enfants, des commodités, des sécurités et des avantages toujours plus nombreux. La contrepartie en est une dépendance accrue vis-à-vis d'un système administratif sur lequel l'individu n'a guère de prise et auquel il a le sentiment d'être livré, pieds et poings liés.

Dépendance de l'homme au travail à l'égard du système de production : établissements industriels, et maintenant commerciaux, de dimension écrasante, division du travail poussée à l'extrême. Dépendance de la vie quotidienne à l'égard des grands systèmes urbains : villes congestionnées et gigantesques machines à habiter.

Paradoxalement, cette dépendance accrue vis-à-vis de la société, s'accompagne d'une moindre participation sociale. La communauté étroite et quotidienne d'autrefois, où tout le monde connaissait tout le monde, et dans laquelle l'individu se trouvait enserré par un réseau de cérémonies, d'affections, de solidarités, depuis le baptême jusqu'à la mort, a fait place à un ensemble de relations plus diffuses. Cette évolution a permis un élargissement de l'horizon individuel et accru la liberté de chacun. Mais elle a aussi rendu plus fragile et plus ténue l'intégration sociale.

L'affaiblissement des relations de voisinage, le cloisonnement des groupes sociaux, la spécialisation de l'espace et du temps dans la vie moderne conduisent à une sorte d'univers éclaté, où le tissu de la proximité humaine s'est déchiré, où règnent la solitude et l'anonymat, et où chacun éprouve, dans son trop vaste amoncellement de verre et de béton, la nostalgie d'une unité perdue.

Ces phénomènes profonds, impossibles à dissocier de l'évolution technique et économique de notre époque, sont à l'origine des maux et des malaises les plus apparents de notre société, tels que les grands moyens de communication les captent, les diffusent et par là les amplifient.

Ces maux et ces malaises, les voici : malgré l'amélioration rapide du niveau de vie général, l'exaspération des revendications catégorielles ; l'inflation, d'apparence paradoxale dans une société riche, née d'une compétition aiguë des groupes et des catégories pour le partage de la ressource commune, et aussi témoignage des difficultés qu'éprouve la collectivité à faire son choix entre des demandes qui dépassent la capacité existante de l'économie; une nouvelle violence, qui ne se manifeste pas seulement dans des phénomènes de délinquance et d'inadaptation, mais plus profondément dans l'excès du langage de chaque catégorie sociale, dans l'outrance et l'intolérance des propos de certains de leurs responsables, dans la tentation latente du recours à la force; finalement, plus grave encore, puisqu'il atteint la cellule de l'être, le désarroi moral de nombre de nos concitoyens.

Et, comme pour couronner le tout, une crise économique mondiale, la plus générale et la plus forte depuis celle des années trente est venue nous priver momentanément de deux biens dont l'opinion, après une expérience de vingt-cinq ans, considérait qu'ils lui étaient définitivement acquis : le plein emploi et l'élévation continue du niveau de vie.

Le troisième problème, qui touche à la vie profonde de la société, est celui de l'évolution préoccupante de notre démographie.

Après avoir été longtemps le pays le plus peuplé d'Europe, la France a traversé au XIXe siècle et au début du XXe siècle une période de longue stagnation démographique, seule parmi des nations dont la population s'accroissait rapidement.

Puis elle a connu un remarquable renouveau démographique au lendemain de la guerre. Celui-ci a stimulé l'essor national. Non seulement il a entraîné la croissance de notre économie, mais il a rendu à la France sa vitalité, son aptitude au changement et l'animation d'un pays jeune.

Brusquement, dans tous les pays industrialisés d'Europe et d'Amérique du Nord, ainsi qu'en Union Soviétique, la courbe de la natalité s'est brisée à partir des années 65. La France a été la dernière à être atteinte par cette tendance, et jusqu'ici à un moindre degré. Mais elle n'y a pas échappé. Le taux de fécondité n'est désormais plus suffisant pour assurer le simple maintien de notre population actuelle.

La cause de ce phénomène, d'une singulière simultanéité, reste encore scientifiquement inexpliquée, malgré les recherches en cours.

Mais le problème, lui, nous est posé. L'intérêt collectif du pays, pour des motifs évidents, mais aussi l'intérêt individuel de chaque Français, si nous voulons poursuivre le progrès et améliorer la solidarité des générations, supposent que notre population reprenne à nouveau une croissance régulière.

Tel est le progrès ; tels sont les problèmes.

Pour assimiler l'un, et résoudre les autres, l'opinion ressent le besoin d'une explication globale, souhaite qu'un schéma d'ensemble lui soit tracé. D'instinct, elle se tourne vers les idéologies classiques.

Mais elle découvre qu'elles sont en grande partie impuissantes à l'aider.

CHAPITRE II

LES LIMITES DES IDÉOLOGIES TRADITIONNELLES

Le rôle des idéologies est de fournir des explications permettant d'analyser la réalité, afin de pouvoir guider l'action. Or les idéologies traditionnelles, marxisme et libéralisme classique, ne satisfont plus à la première condition. Comment attendre d'elles qu'elles puissent remplir la seconde fonction ?

Ces deux systèmes de pensée s'opposent depuis plus de cent ans, ce qui, pour notre époque, paraît surprenant. Dans les autres domaines de la connaissance ou de l'investigation, par exemple dans les sciences physiques, chimiques et biologiques, les théories élaborées au siècle dernier ont été plusieurs fois revues et modifiées et cette remise en question est considérée, non seulement comme normale, mais comme l'acte scientifique par excellence.

Cela est dû au fait que libéralisme classique et marxisme échappent largement au domaine scientifique. La passion, bien plus que la raison, les a conservés jusqu'à ce jour, bien qu'étant de moins en moins représentatifs des réalités observables dans nos sociétés, de moins en moins adaptés à la solution de nos difficultés concrètes. Il sera intéressant d'expliquer pourquoi, alors que tout changeait, la pensée humaine s'est crispée si longtemps sur deux modèles abstraits, aussi manifestement partiels quoique révélant chacun sa part de vérité. La réponse tient sans doute à un phénomène quasi religieux de compensation, entraîné par l'affaiblissement de la foi dans les religions traditionnelles.

Je ne discuterai pas ici de manière systématique ces deux modèles parce que la chose a déjà été faite cent fois. Les partisans de l'un ont montré avec force et pertinence les insuffisances de l'autre. Ces œuvres hétéro-critiques remplissent les rayons des bibliothèques. Sur tout autre sujet, l'attitude scientifique eût consisté à abandonner ces théories imparfaites et à rechercher un nouveau modèle plus satisfaisant. Mais les passions politiques, les intérêts, les idées reçues obscurcissent le jugement au point que les deux champions demeurent debout, fièrement campés face à face au milieu du champ clos du combat politique, dans leurs cuirasses que ronge la rouille.

Le marxisme et le libéralisme classique sont des théories insuffisantes, parce qu'ils simplifient trop les faits et plus encore parce qu'ils méconnaissent la réalité humaine.

Le marxisme a apporté sa part de vérité. Face à l'idéologie des « bourgeois conquérants » du XIXe siècle et grâce à la méthode d'analyse digne d'admiration de son fondateur, il a joué, en son temps, un rôle de démystification et d'investigation.

En dévoilant la réalité des classes sociales, derrière la fiction d'un ensemble d'individus réputés égaux, alors que seulement égaux en droit, en mettant à jour des rapports cachés entre institutions sociales et structures de production, en revendiquant, au-delà des libertés formelles, en faveur de droits réels, le marxisme a aidé les sociétés industrielles de l'ouest de l'Europe à mieux s'analyser elles-mêmes et la classe ouvrière de ces sociétés à conquérir ses droits légitimes, et longtemps méconnus.

Mais il est devenu à son tour, entre les mains de ses fidèles, et faute d'une représentation complète de l'homme, une sorte de mystificateur. Mystificateur, le marxisme le devient quand, tout en se dérobant aux exigences de la science, il prétend à un statut scientifique; quand il désigne dans le pouvoir économique la source unique de l'oppression; quand il réduit l'histoire des peuples à la lutte des classes; quand il confère à l'une d'entre elles un rôle messianique et rédempteur.

Certes, en apparence, le marxisme a évolué. La crise fatale et définitive du capitalisme, la révolution surgissant des masses ouvrières des pays les plus industrialisés, la paupérisation absolue, puis relative, aujourd'hui la dictature du prolétariat : autant de notions qui, après nous avoir été présentées comme indissolublement liées à la doctrine, ont été tour à tour oubliées ou abandonnées, la nécessité faisant loi. Les unes avec discrétion, les autres avec ostentation.

Il fallait masquer les contradictions les plus apparentes entre la doctrine et la réalité ou encore les antinomies les moins acceptables entre la morale marxiste et la morale tout court.

Mais ces abandons successifs, s'ils ont affaibli la

cohérence de la doctrine, ne l'ont pas rendue plus apte à rendre compte des réalités d'une société comme la nôtre, ni plus capable de répondre à l'attente idéologique de nos contemporains.

L'élévation sans précédent du niveau de vie dans les pays d'économie libérale; le fait que les tensions entre classes sociales y sont, en gros, d'autant moins vives, et non pas d'autant plus fortes, que leur économie est plus développée : ces réalités aisément observables attestent que l'évolution de nos sociétés se déroule désormais dans un autre univers que celui décrit par le marxisme, et obéit à des lois différentes.

Quant à la thèse centrale de cette doctrine, selon laquelle la collectivisation des moyens de production supprime l'exploitation de l'homme par l'homme, elle est contredite par une somme d'expériences étrangères, dont le bilan apparaît dans sa monotone étendue.

Faut-il s'en étonner? Le goût du pouvoir et de la domination existe au plus profond du cœur de l'homme. La recherche de la richesse ou du profit est un moyen de le satisfaire, mais non le seul. L'homme sait à merveille en utiliser d'autres. Les sociétés de type collectiviste offrent à ceux qui les dirigent un moyen incomparable d'exercer leur domination sur les masses, puisque la centralisation du pouvoir, c'est-à-dire l'autorité donnée à l'appareil dirigeant, y est poussée à l'extrême.

Pourtant c'est un fait que le marxisme joue encore, à la différence d'autres pays, un rôle important dans la vie intellectuelle et politique de la France.

Comment l'expliquer? Par plusieurs raisons, sans doute,

plutôt que par une seule. La première est le développement insuffisant des sciences sociales dans notre pays, et la préférence constamment donnée à l'opinion sur les faits, plutôt qu'à la connaissance des faits eux-mêmes. Une autre tient, comme nous l'avons dit, à l'attrait instinctif qu'exerce une explication globale, un mono-rationalisme se substituant à un monothéisme, sur des esprits formés par la tradition catholique. De même, l'exaltation de la lutte sociale, qui est au cœur du marxisme, rencontre le penchant à l'opposition totale, à la négation de l'existence de l'autre, au refus du compromis qui, hérité de l'individualisme gaulois et de l'ardeur des tribus franques, est dans la tradition continue de la politique française.

Pourtant, il faut chercher une autre explication. Il semble que se soit produite une identification entre la perception des maux fondamentaux de notre société — l'injustice et le privilège — et la valeur de la doctrine qui les a le plus clairement dénoncés. Identification peut-être illogique, car elle confond la sensibilité de la perception et la valeur logique d'un système. Mais identification affective et, à cet égard, à la fois tenace et respectable.

Si l'idéologie est parfois en avance sur les faits, ici elle est en retard. On dirait un vêtement rétréci sur un corps vigoureux. Le marxisme n'aide plus à comprendre notre société dans ce qu'elle a de nouveau ; il ne peut pas servir de guide pour bâtir celle de demain.

Le libéralisme classique ne nous offre pas non plus la clef universelle dont nous voudrions disposer.

Nous lui devons pourtant une part décisive de notre progrès.

Le maintien de nos libertés politiques, d'abord. Parce qu'il place l'individu au commencement et à la fin de l'organisation sociale, il constitue le fondement de la démocratie politique dans sa forme la plus achevée. Les Français ne s'y trompent pas et n'imaginent pas la démocratie autrement. C'est pourquoi, dans notre pays, même les conceptions les plus foncièrement contraires à la liberté doivent, pour acquérir quelque crédit, se parer de ses plumes, qui en font d'étranges volatiles.

Au libéralisme, nous devons également l'essentiel de nos performances économiques, intérieures et extérieures. Vingt-cinq ans de compétition pacifique, constituant une expérience grandeur nature, ont clairement tranché le débat. Le système de la liberté d'entreprendre, de la concurrence interne et externe et du bon fonctionnement du marché, dispose, sur celui de la planification autoritaire, même baptisée démocratique, d'une double supériorité : d'une part, il permet aux besoins individuels solvables d'orienter directement la production, au lieu de laisser un appareil bureaucratique en confisquer l'expression ; d'autre part, il utilise le ressort psychologique et technique de l'initiative, au lieu de reposer sur la lourdeur de la décision administrative.

Cependant, le libéralisme classique ne rend pas compte de la réalité sociale contemporaine.

Il nous invite à considérer la vie économique comme un vaste terrain où s'affronteraient librement des individus égaux dans leurs droits. Et il démontre que les décisions dictées à chacun par son intérêt bien compris, sous l'aiguillon de la concurrence, seront les plus conformes au bien de tous.

L'expérience ne contredit pas cette affirmation. La concurrence, en obligeant chacun à donner le meilleur de lui-même, est bien le plus efficace des stimulants. Mais la même expérience établit parallèlement que, de même que l'animal défend son territoire, le mouvement naturel des hommes est d'assurer leur sécurité et pour cela de se protéger de leurs semblables, en s'ingéniant à accumuler des défenses contre la concurrence elle-même.

Ainsi la société dite libérale a-t-elle vu se développer statuts et garanties, protections diverses, coalitions et ententes, syndicats et fédérations patronales, dont la finalité appuyée de justifications sociales est de restreindre la compétition. Si bien que, face aux concentrations de pouvoir qui en résultent et aux phénomènes de domination et d'aliénation qu'elles provoquent, l'intervention de l'État peut constituer, en dernier ressort, non une menace pour la liberté, mais la vraie garantie de la liberté des plus faibles.

De cette évolution, si apparente dans nos sociétés au cours des dernières décennies, le libéralisme classique ne rend pas compte.

De même, il donne une représentation partielle de la nature humaine, et donc des aspirations des hommes. On l'a dit cent fois : l'*homo oeconomicus,* ce robot unidimensionnel, qui ne se détermine que d'après son intérêt matériel étroitement entendu, est utile lorsqu'il s'agit d'introduire un paramètre pseudo-humain dans des équations mathématiques. Mais l'homme engagé dans la vie économique et sociale ne se réduit pas à ce seul composant.

De même que le citoyen engagé dans la vie publique n'est pas seulement ce « bel-au-bois-dormant » qui ne se réveillerait que tous les cinq ou sept ans pour donner ou refuser son bulletin de vote, de même l'homme, dans sa réalité individuelle et sociale, avec ses peurs et ses passions, sa volonté de puissance et son désir de justice, sa capacité de sacrifice et de solidarité, son désir d'amitié et de chaleur, sa perception des besoins de la cellule familiale, ses aspirations culturelles et ses convictions idéologiques, a de multiples dimensions.

Aussi le libéralisme classique ne nous éclaire-t-il qu'incomplètement sur les besoins de nos concitoyens, de cet homme total et contradictoire, épris à la fois de sécurité et d'aventure, de confort matériel et d'humanisme, de liberté et d'ordre. Plus notre société progresse, et plus l'homme s'éloigne du pur robot libéral.

Il nous faut une autre analyse et un autre projet.

On le voit : aucune des deux grandes théories sociales que le XIXe siècle nous a léguées ne rend complètement compte de l'évolution de nos sociétés telle qu'elle s'est accomplie depuis que ces théories ont été conçues et donc de la réalité actuelle de notre vie sociale. Il n'y a pas lieu de s'en étonner : non seulement parce que la vie ne se laisse enfermer dans aucun système, mais aussi parce que le trait commun de ces deux conceptions est de reposer l'une et l'autre sur une idée abstraite et partielle de l'homme.

Sans doute ne pouvait-il en être autrement à l'époque où elles ont été imaginées. Les dures nécessités de l'industrialisation et des luttes sociales mettaient inévitablement au centre de la perspective les contraintes économiques et le fonctionnement de l'appareil de production.

Ces deux modèles ont fait progresser notre savoir. Ils constituent deux stratifications utiles, et même nécessaires, dans l'accumulation des connaissances de notre société sur elle-même. Mais nous les avons vu tous les deux épuiser leur message en se détachant du réel. Il faut avancer plus loin, tracer et construire.

Avant de le tenter, je fixerai le point de départ. Celui à partir duquel l'œil cherche et aperçoit la perspective. Car tout tient à la fois dans ce que l'on regarde et dans le point d'où l'on regarde.

Les deux modèles que j'ai commentés sont des « systèmes » construits en prenant pour point de départ la considération des mécanismes d'ensemble, observés dans l'économie, et à partir desquels sont tirées des conséquences permettant de revenir vers l'homme.

Le progrès des connaissances rend possible aujourd'hui une autre démarche. Nous pouvons mener notre raisonnement à partir de l'homme et de ses besoins, pour déboucher sur le choix des meilleurs mécanismes.

Cette démarche « anthropocentrique » s'appuiera sur deux principes :

— l'activité créatrice est à l'origine du développement économique. L'organisation économique doit être conçue comme un déploiement de l'activité créatrice de l'homme;

— l'homme a la capacité politique et sociale de se

prononcer, de manière concrète et fréquente, sur l'organisation de la société dans laquelle il entend vivre. Celle-ci doit donc être une société de responsabilités exprimant, aux divers niveaux, la capacité de l'individu à participer à la définition de son univers social.

Il s'agit en quelque sorte de superposer le conscient au spontané et de réaliser la synthèse entre le développement des libertés individuelles au niveau de l'homme, et l'organisation rationnelle des fonctions collectives.

La démarche la plus moderne ne sera pas celle qui part de l'analyse du mécanisme économique, mais celle qui s'inspire du besoin de l'homme.

Ce sera la démarche française. Elle nous conduit à la société pluraliste.

DEUXIÈME PARTIE

LA SOCIÉTÉ A PARTIR DE L'HOMME

Un projet de société se définit par la place qu'il attribue à l'homme, et par la relation qu'il établit entre l'individu et la collectivité.

Mais les individus ne sont pas des atomes flottant dans le vide. Ils forment des groupes, des communautés, des classes sociales. Quelle doit être leur position respective, quel est l'espace qui leur est réservé dans la société? Question qui en commande beaucoup d'autres, et doit être examinée en premier.

Trois directions apparaissent avec force :

— Notre société, *au lieu d'accepter son morcellement en fractions ou en groupes, dominants et dominés,* doit tendre à réaliser son unité par la justice.

— Elle constituera une communauté d'hommes libres et responsables.

— Elle sera une société de communication et de participation.

CHAPITRE III

VERS L'UNITÉ PAR LA JUSTICE

Une société unie est l'aboutissement nécessaire de la longue évolution de l'Occident chrétien, puis « philosophe », commencée vers le XIe siècle avec l'apparition, dans les villes naissantes, d'une catégorie d'hommes qui ne s'identifiaient ni à la noblesse, ni à la paysannerie. Évolution poursuivie à la Renaissance, qui s'est imposée au XVIIIe siècle, et qui devint irréversible lorsque la division de la société en classes sociales cessa d'être considérée comme la conséquence fatale d'un plan divin.

Notre société ne sera complètement réconciliée avec elle-même que lorsque les anciennes divisions auront été effacées.

Cela ne veut pas dire que notre société soit vouée au nivellement et à l'uniformité. L'effacement des classes ne signifie pas l'uniformisation des rôles et des situations.

Mais il implique, d'abord, que les différences entre les situations individuelles ne soient pas condamnées à se répéter d'une génération à l'autre, afin que soit exclue la reproduction automatique des privilèges et des handicaps.

Il signifie aussi que les différences de situation individuelle, qui traduisent l'inégalité des efforts, des talents, des risques et des responsabilités, ne soient pas telles que les individus aient le sentiment d'appartenir à des mondes étrangers, mais qu'ils se reconnaissent, au contraire, comme membres d'une même communauté. Il existe, dans une société donnée, « un écart social maximum » récompensant les activités et les talents, qui varie avec le temps, et au-delà duquel le tissu social se déchire.

La société française a encore de sérieux progrès à accomplir pour atteindre cet objectif d'unité ; c'est l'évidence même. La question est de déterminer le meilleur moyen d'y parvenir.

L'expérience des sociétés collectivistes se traduit par un échec à cet égard.

Selon la thèse centrale de leur philosophie, la collectivisation des biens de production doit supprimer toute possibilité d'une division de la société en classes. Mais l'expérience, telle qu'on la connaît, en dépit de la pauvreté des données scientifiques produites par ces sociétés sur elles-mêmes, n'a pas confirmé la théorie.

Tenons-nous-en à deux exemples : d'un côté, la dure condition des paysans, c'est-à-dire de la classe la plus nombreuse, de l'autre les privilèges des hommes de parti ou d'appareil, transmis aux fils par les pères, à la seule exception, sans doute, de la Chine, constituent des phénomènes de classe. N'est-ce pas le chef d'un puissant pays à organisation collectiviste, qui, voici une dizaine d'années, constatait lui-même que 70 % des étudiants de l'Université qu'il visitait étaient étudiants parce qu'ils étaient « fils de »?

La réalisation d'une société plus unie serait-elle une utopie? Nullement. L'effacement progressif des différences de classe est un des résultats fondamentaux de l'évolution historique des sociétés de type occidental.

Comme tous les phénomènes structurels, celui-ci est d'autant plus sensible que l'on considère une période plus longue. Il est impossible de l'observer à l'échelle de l'année. Il devient perceptible dans la moyenne période. Et sur une période longue, il est indiscutable. Qu'on se souvienne de ce qu'étaient les rapports sociaux à la fin du XIXe ou au début du XXe siècle, même dans un pays de tradition républicaine comme le nôtre, et l'on mesure le chemin parcouru.

Trop lentement? C'est vrai. Mais la direction de l'évolution est la bonne. Cela prouve, par comparaison avec l'échec relatif des expériences collectivistes, qu'un processus évolutif et conscient peut réaliser l'unification en profondeur de la société.

Cette affirmation semble contredite par le spectacle des antagonismes qu'offrent souvent les Français. Pourtant, qu'on ne s'y trompe pas : nos divisions sont désormais plus idéologiques que sociologiques, et leur frontière ne coïncide pas avec des frontières de classes. Toutes les observations disponibles le démontrent.

Si certains responsables politiques s'efforcent laborieusement de soutenir, contre l'évidence des faits, que les différences de classes ne diminuent pas, mais s'aggravent, cette position tourne le dos au réel, et chacun le sait.

Le fait est là : la réalité sociale de la France est celle d'une société en voie d'unification, sous l'action de trois facteurs qu'il faut constamment garder à l'esprit : élévation du niveau de vie, éducation, et information.

L'évolution en cours, loin de conduire au face à face de deux classes, bourgeoise et prolétarienne, fortement contrastées et antagonistes, se traduit par l'expansion d'un immense groupe central aux contours peu tranchés, et qui a vocation, par sa croissance numérique exceptionnellement rapide, par ses liens de parenté avec chacune des autres catégories de la société, par son caractère ouvert qui en assure largement l'accès, par les valeurs modernes dont il est porteur, d'intégrer en lui-même progressivement et pacifiquement la société française tout entière.

D'un côté, il confine, par les techniciens, les contremaîtres, les ouvriers qualifiés et certains travailleurs indépendants, au prolétariat industriel. Il touche, de l'autre, par les cadres et d'autres travailleurs indépendants, à la bourgeoisie. Il n'est pas lui-même un prolétariat, c'est-à-dire une masse d'hommes sans protection, coupée socialement et culturellement du reste de la société. Il n'est pas plus une bourgeoisie c'est-à-dire un groupe social défini par possession exclusive d'un patrimoine économique et culturel. Il est une réalité sociale d'un type nouveau, mobile et ouverte au changement, porteuse de valeurs qui sont celles d'une société moderne. Laborieuse, mais prévoyante, ambitieuse mais capable de générosité, nombreuse mais individualiste, et ne ressemblant vraiment qu'à elle-même. Et j'ajouterai, typiquement française dans ses caractères et son mode de vie.

Ce groupe central n'est pas issu de l'imagination des théoriciens et n'apparaît pas ici pour la commodité de la démonstration. Il existe, il vit, on le rencontre tous les jours.

Sur les grands problèmes de société, la France n'est pas coupée en deux, comme on le dit trop vite. La palette des opinions est bien plus large et plus nuancée. S'il fallait, sur la plupart des grands sujets, tracer des lignes de partage, aucune ne passerait par le milieu. Le centre sociologique de notre nation a déjà une unité réelle et il rassemble, selon les données observables, bien plus de la moitié de la population.

Sa vocation n'est donc pas d'être embauché comme troupe de renfort pour des combats qui ne seraient pas les siens, qu'il s'agisse du combat de retardement des tenants de l'immobilisme social, ou du combat des prophètes du messianisme prolétarien.

Sa vocation n'est pas d'être récupérée par d'autres, mais de transformer elle-même peu à peu toute la société française. Elle est d'être le rassembleur d'une société progressivement débarrassée de ses divisions. Elle le peut, car les valeurs qu'elle porte sont déjà largement partagées par la plus grande part de notre société.

Ainsi, et ce point est essentiel, l'unification de notre société n'implique pas une rupture dramatique avec son évolution passée, mais l'accentuation de cette évolution.

Pour la réalisation de cet objectif, il n'est pas question de s'en remettre au mouvement des choses. Les progrès accomplis jusqu'à présent n'ont pas tous été spontanés, il s'en faut. L'action consciente des hommes et le jeu propre des forces sociales à l'œuvre dans un pays industriel avancé peuvent, en s'épaulant mutuellement, le faire progresser sur la voie de l'unification.

Une collectivité humaine consciente doit conduire elle-même son évolution. Il appartient aux hommes de notre temps de guider la marche de notre société vers une plus complète unité.

Les mesures propres à accentuer cette évolution, sont nécessairement de nature et de portée très diverses. Il ne s'agit pas ici de les détailler, mais d'en fixer le but et d'en définir l'esprit.

Des mots simples suffisent à exprimer l'un et l'autre : justice et solidarité.

Le contenu concret de l'exigence de justice et l'étendue de la solidarité ne sont pas les mêmes d'une époque à l'autre. Le rôle des élus, celui des pouvoirs publics, est d'exprimer et d'accomplir, à chaque période, ce qu'appelle la justice dans la conscience collective.

Aujourd'hui, au-delà des doctrines, un corps de convictions communes peut être dégagé sur ce sujet : *la justice consiste en l'élimination de la misère, la disparition des privilèges et la lutte contre les discriminations.*

La misère est le lot de toutes les sociétés qui se sont succédé sur notre planète. La nôtre est une des premières qui ait le privilège de pouvoir l'éliminer, comme ont été éliminées la variole et la peste. Elle serait impardonnable de ne pas s'atteler à cette tâche par priorité, et de ne pas régler rapidement ce problème.

La misère dégrade. Comme le racisme, elle offense la dignité humaine.

Ni l'âge, ni la privation d'emploi, ni la perte précoce d'un conjoint, ni un handicap personnel, aucun événement, aucune situation ne justifient qu'une collectivité prospère abandonne l'un de ses membres à la détresse de la misère.

Pour lutter contre elle, on peut hésiter entre une méthode générale et des actions particulières. La méthode générale serait de garantir à tout Français sans distinction un revenu minimum. Si ses ressources n'atteignent pas ce minimum, la collectivité les complète.

Cette méthode radicale a pour elle la simplicité. Mais les esprits ne sont pas encore mûrs pour un changement aussi profond, qui entraînerait au demeurant de lourdes charges collectives. Nous pouvons seulement l'expérimenter. C'est ce qui va être fait dans un cas précis : celui des veuves et des femmes isolées ayant charge d'enfant.

Dans les autres cas, le choix des actions particulières a prévalu. Il s'est traduit par les mesures très importantes prises en faveur des personnes âgées bénéficiant du « minimum-vieillesse », des handicapés adultes et des chômeurs victimes d'un licenciement pour cause économique.

Cet effort sera poursuivi et systématisé, spécialement au profit des personnes âgées, de façon à donner à toutes les Françaises et à tous les Français la certitude de percevoir un revenu qui leur assure une vieillesse digne, et selon des formalités accessibles à tous. Bref, il s'agit de délivrer les Français de l'angoisse d'une vieillesse démunie de ressources. Financièrement, l'effort déjà accompli et celui qui reste à faire sont très lourds. Mais il faut les placer dans leur perspective d'ensemble : éliminer la misère, comme état social, par un réseau de mesures assurant à chaque membre de la société, quels que soient son âge ou les aléas de sa vie, un minimum de ressources qui le maintienne comme partenaire à part entière de cette société.

La justice, c'est aussi la suppression des privilèges. Les Français ont fait jadis une révolution pour l'atteindre. Mais la nature humaine est ainsi faite que la disparition des privilèges n'est jamais définitivement acquise. La vigilance et la volonté sont nécessaires en permanence pour les empêcher de renaître.

Quelle que soit l'ardeur de la démagogie, la suppression des privilèges ne signifie pas le nivellement, ni l'empêchement de certaines réussites exceptionnelles. Le sentiment de la justice comprend et admet les réussites soudaines de quelques artistes, de quelques grands avocats ou médecins, de quelques industriels — je les souhaiterais plus fréquentes —, celles de quelques grands savants et de quelques intellectuels, qui constituent la contrepartie d'un effort de création exceptionnel. Ces exemples sont rares et souvent précaires.

Mais le sentiment de justice n'admet pas un enrichissement qui ne soit justifié ni par le travail au grand jour, ni par le talent. Et il ne souffre pas que certains des plus favorisés ne prennent pas leur part des charges collectives.

La justice implique ainsi l'élimination des privilèges sous leurs trois formes essentielles : les privilèges de monopole, de captation, et d'évasion.

La tentation du monopole, la fuite devant la concurrence sont présentes partout. Chez des non-salariés, chez certains salariés. Tout monopole se défend, bec et ongles, en invoquant grands principes et droits acquis. Et chaque fois qu'il le peut, en mettant en avant une troupe de « petits », destinée à couvrir l'intérêt de quelques puissants. Mais tout monopole est un abus potentiel. La collectivité, qui a besoin pour cela de l'appui de l'opinion, doit le combattre et l'éliminer.

Il n'est pas davantage admissible que certains, bénéficiant d'un privilège de captation, s'approprient le fruit d'un effort collectif auquel ils n'ont pas contribué. C'est par excellence le cas de la spéculation foncière. La loi qui vient d'être votée et qui traite du problème dans toute sa dimension, à partir d'une approche nouvelle, restitue à la collectivité, dans les zones denses, le produit de son effort. Elle est une loi de justice, dont l'application sera conduite avec le plus grand soin.

Les privilèges d'évasion ne sont pas non plus acceptables. Chacun doit contribuer aux dépenses publiques à raison de ses capacités. Le contribuable exact sent la révolte monter en lui à la pensée de celui qui, légalement ou non, se dérobe.

C'est pourquoi la taxation des plus-values constitutives d'un revenu véritable est une œuvre de justice. Elle est d'ailleurs, on le sait, pratiquée dans tous les pays étrangers évolués. C'est dans cet esprit qu'elle a été proposée et votée. Son application, recherchant la simplicité, devra respecter cet objectif.

C'est pourquoi l'intensification de la lutte contre la fraude fiscale est une nécessité, elle aussi, imposée par la justice. Bien entendu, cette lutte, dans une démocratie respectueuse de l'individu, doit lui offrir des garanties comparables à celles dont il dispose dans toutes les actions de justice.

Cet effort ne prendra fin que lorsque les Français auront la conviction d'être égaux devant l'impôt, au même titre qu'ils le sont devant les autres obligations publiques. Déjà l'opinion, ironique il y a vingt ans, sceptique il y a dix ans, soutient et approuve l'effort en cours.

Enfin, notre société doit savoir identifier et combattre les discriminations.

Je citerai quatre exemples pour illustrer la nécessité, et aussi la difficulté, de cette action.

Le premier, essentiel à mes yeux, est celui de la *condition des femmes.* Pendant des millénaires, le statut subordonné de la femme a semblé, et sans doute aux femmes elles-mêmes, résulter d'un décret de la nature. Aujourd'hui, progressivement dépouillée de ses justifications économiques ou idéologiques, cette discrimination apparaît purement et simplement comme une injustice. Il incombe à une vraie démocratie de la combattre pour l'éliminer par une action multiforme comme l'est cette discrimination elle-même, dans tous les domaines de la vie familiale, professionnelle et politique.

Les résistances mentales et sociales auxquelles se heurte encore l'amélioration de la condition féminine devront ainsi être surmontées et une égalité entière — n'impliquant pas nécessairement dans tous les cas l'identité des rôles — s'établira entre les hommes et les femmes.

Les femmes en seront les premières mais non les seules bénéficiaires. Je suis persuadé que leurs aptitudes distinctives, la manière qui leur est propre de percevoir le monde et d'agir sur lui, sont de nature à apporter au développement de notre société une contribution fondamentale. La suppression des discriminations qui pèsent encore sur les femmes est sans doute une affaire de justice, mais pas seulement de justice. Elle est plus encore un élément décisif de l'évolution sociale générale. Elle aidera notre société à éliminer plus complètement la violence, en même temps qu'à donner davantage le pas aux réalités sur les idéologies, — en un mot à accéder à un stade supérieur d'éveil humain.

L'achèvement de l'insertion politique et sociale des femmes dans la communauté constitue un objectif permanent de notre société. Cette évolution, qui concerne la moitié de notre population, est de nature à enrichir notre vie sociale plus que bien des réformes n'intéressant que l'autre moitié.

Je pense souvent au potentiel immense de sensibilité, d'imagination et de réalisme que notre société peut recueillir d'une telle participation féminine. La France qui figure depuis deux ans dans le peloton de tête du progrès mondial dans ce domaine, mènera à son terme l'intégration de la femme dans la vie sociale.

La condition des travailleurs manuels, celle, en tout cas d'un grand nombre d'entre eux, souffre aussi d'une discrimination évidente. Celle-ci apparaît dès l'école, dans la hiérarchie que beaucoup de maîtres et de familles établissent arbitrairement entre l'enseignement général et l'enseignement technique. Elle se manifeste dans la vie professionnelle par des rapports de rémunération que ne justifient ni les responsabilités, ni la pénibilité du travail; par l'insuffisance des sécurités; et par le fait que la vie professionnelle de la plupart des travailleurs manuels, à la différence des autres catégories de salariés, ne comporte aucun déroulement de « carrière ».

Ce trait, qu'on ne constate pas à un degré comparable chez nos voisins germaniques ou britanniques, trouve sans doute une part de ses origines dans nos anciennes traditions culturelles latines, mais aussi dans les réactions violentes et injustes qui ont frappé la classe ouvrière après la révolution de 1848 et la Commune de 1871.

Cette discrimination est sans justification sociale, comme le serait d'ailleurs une discrimination de sens opposé. L'acte de production est le résultat, dans nos sociétés complexes, d'une collaboration où la part de chacun, manuelle ou non, est également indispensable et noble. Or, cette discrimination constitue un handicap : elle détourne une part de la population active d'emplois créés par notre développement industriel et représente un facteur structurel de sous-emploi. Les besoins de l'économie, comme les exigences de la justice, commandent de la combattre.

Considérons aussi ceux que désigne, d'une manière qui révèle les préjugés qui pèsent sur eux, le terme « d'inactifs ».

Ne participant pas, ou plus, à une production rémunérée, ils n'ont guère les moyens de se faire entendre. Les actifs, salariés et non salariés, prélèvent leur part par priorité, par la force des choses.

Aussi est-ce une responsabilité éminente de la conscience sociale de rétablir la justice, en exerçant au profit des inactifs les transferts de revenu nécessaires.

La revalorisation des retraites, l'augmentation — en même temps que la simplification — des prestations versées aux femmes ayant de jeunes enfants ou des enfants nombreux, sont, pour notre société, des tâches de première urgence. Les moyens nécessaires y seront consacrés.

Cette action, indispensable, n'est pas suffisante. La vie sociale elle-même est souvent organisée en fonction directe des besoins et des aspirations des personnes actives. Faire en sorte que la conception des villes, l'aménagement du temps, l'organisation du travail et des loisirs, la réalisation et le financement des logements, le développement des équipements publics, l'imagerie même où la collectivité puise ses symboles et son vocabulaire, respectent la dignité, les droits et les intérêts des familles et des personnes âgées, est aussi une manière de combattre l'injustice.

De toutes les discriminations, la moins supportable est enfin celle qui pèse sur certains enfants.

L'inégalité du talent et du courage est dans la nature humaine; la justice n'est pas de la nier. Mais elle est de faire en sorte que, quel que soit le milieu d'origine, les personnalités de nos enfants puissent se développer et trouver dans la vie sociale, à mérite égal, des chances équivalentes.

Une démocratie sincère doit fixer cet objectif au premier rang de ses ambitions, sans ignorer que sa réalisation requiert une longue patience et d'immenses efforts.

Il ne dépend pas d'un moyen unique ou d'une action isolée de compenser les handicaps que les insuffisances du milieu familial ou les hasards de la vie, peuvent faire peser sur certains de nos enfants. C'est au contraire une politique globale qui est nécessaire.

Le système éducatif en est, évidemment, un élément essentiel. Le rôle social de l'école ne doit pas être seulement d'assurer la reproduction à l'identique de la société, mais d'aider à la création d'une plus grande égalité.

La mise en place d'un système unique de collèges pour tous les jeunes Français constituera un moyen puissant d'égaliser leur acquis culturel. Elle devra s'accompagner sur le plan des programmes de la définition d'un « savoir commun », variable avec le temps et exprimant notre civilisation particulière.

L'éducation ne peut à elle seule établir l'égalité là où la vie a créé l'inégalité. D'où l'importance de la « seconde chance » constituée par la formation permanente. Le développement de celle-ci, sa mise à la disposition effective de tous constituent l'une des conditions concrètes d'une réelle démocratie.

Il faut enfin que la diversité des voies d'accès aux différentes professions, que la multiplicité des filières de promotion, que l'organisation même de la vie sociale concourent à l'égalisation des chances.

Je citerai un exemple, limité mais significatif. La création de l'École nationale d'administration a répondu à la volonté d'unifier et de démocratiser la haute fonction publique. Par rapport à la situation d'avant-guerre, elle constitue un évident succès. Mais on constate que les étudiants les plus doués des milieux proches de la haute administration, et par là même les étudiants parisiens, ont, plus que les autres, l'idée, le goût et la capacité d'accéder à cette école. Le résultat est qu'ils sont de plus en plus nombreux à y entrer, et que le recrutement tend à se circonscrire. Il faut imaginer d'autres filières de présentation et d'accès, et donc, sur le métier, remettre cet ouvrage.

Supprimer la misère et les privilèges ; combattre les discriminations, la justice l'exige. C'est la première tâche, mais ce n'est pas la seule. Il reste à savoir quelle est l'*ampleur socialement justifiée des écarts de situations individuelles, à une époque donnée, à l'intérieur d'une même société.*

Que des écarts soient indispensables pour récompenser la peine, le talent, le risque, la responsabilité, c'est l'évidence. Le nier ne rapprocherait pas de la justice.

Mais comment déterminer l'ampleur souhaitable de ce que j'ai appelé « l'écart social maximum ». Question difficile qui ne comporte ni réponse objective, ni réponse unanime, ni réponse valable une fois pour toutes, mais question essentielle, si l'on observe qu'à partir d'une certaine ampleur ces écarts deviennent « dé-socialisants » : ils détruisent chez l'individu le sentiment d'appartenir à la communauté.

La réponse ne se trouve pas dans des constructions idéologiques ou des conceptions doctrinaires, mais dans une pratique attentive et progressive. L'exemple de la politique contractuelle menée dans le secteur public, atteste qu'il ne s'agit pas d'une utopie.

Des employeurs à l'esprit ouvert et des syndicats responsables ont su, année après année, convenir de la répartition entre tous les échelons, d'une masse salariale préalablement négociée entre eux. Que cette répartition ait pu être décidée en commun atteste qu'au terme de discussions forcément tendues, un consensus minimum s'est chaque fois dégagé.

Au cours des deux dernières années, pourtant rendues plus difficiles par la crise économique, ce consensus a conduit à décider une revalorisation prioritaire des salaires les plus bas, au lieu de la pratique antérieure des augmentations porportionnelles. Il a comporté, en même temps, les dispositions nécessaires pour éviter un écrasement de la hiérarchie.

De tels accords ne sont possibles qu'entre partenaires qui ne refusent pas tout compromis par principe, mais préfèrent la recherche de l'entente, au choix de la mésentente. Ils ne s'accommodent pas d'une attitude qui subordonne l'action sociale à des objectifs politiques. Ceci est une autre affaire, sur laquelle je reviendrai.

L'important est de constater qu'une conception commune de la répartition des accroissements de revenus peut se dégager d'un dialogue loyalement mené entre partenaires de bonne foi.

L'évolution est possible : elle doit prendre la forme d'une action réfléchie et concertée.

Certains vont se demander s'il est vraiment nécessaire de soulever toutes ces questions. Après tout, la société n'a-t-elle pas toujours accepté une certaine dose d'injustice ? Et n'est-ce pas l'affaiblir et l'aigrir inutilement que de recenser ses imperfections, alors que celles-ci sont dans la nature des choses ?

Ils ont tort. D'abord parce que leur réalisme n'est qu'apparent : dans la société française d'aujourd'hui, la résignation est minoritaire. Non seulement les moins favorisés, mais la jeunesse, ainsi que les éléments les plus responsables, ne s'accommodent pas des privilèges ni des discriminations. La société française ne peut pas se résigner à l'imperfection, dès lors que ses forces les plus profondes appellent l'amélioration.

D'autres vont nous dire : vous avouez que le système est mauvais ; il faut le renverser.

Ils ont également tort. Un système social n'est pas mauvais parce qu'il admet ouvertement et lucidement certaines de ses défaillances, et qu'il se met à même d'y porter remède, pas plus qu'un malade n'est candidat à l'euthanasie parce qu'il se prête à un examen médical. Un système social n'est condamné que s'il cache ses faiblesses et s'interdit de les redresser ou si encore il en grossit démesurément la portée et s'abîme dans leur contemplation morbide.

Une tout autre attitude est possible, et elle est seule digne d'une société démocratique : prendre objectivement la mesure de ce qui n'est pas juste et mettre en œuvre, sans lenteur ni précipitation, les correctifs nécessaires.

C'est par ce moyen que notre société, portée en profondeur vers davantage d'homogénéité, guidée par la volonté de supprimer la misère et les privilèges, de combattre les discriminations, de réduire les inégalités excessives de condition et d'assurer l'égalité des chances *ira son chemin vers l'unité par la justice.*

Et n'est-ce pas là, pour la communauté française, la source possible d'un élan qui la rendrait plus chaleureuse et plus fraternelle, que les timidités du conservatisme ou les affrontements révolutionnaires ?

CHAPITRE IV

UNE COMMUNAUTÉ D'HOMMES LIBRES ET RESPONSABLES

Notre société est fondée sur l'épanouissement individuel.

Les pays du tiers-monde n'ont guère le choix. Ils doivent nécessairement penser et agir en termes de masses. Nourrir, vêtir, éduquer, loger les masses, constitue leur tâche prioritaire et ne laisse que peu de place pour la considération de l'individu. Nous devons le garder à l'esprit, pour juger équitablement certaines de leurs décisions.

La société démocratique française doit prendre en compte elle aussi, les besoins généraux de la collectivité. Mais en même temps, elle peut désormais se tourner vers l'épanouissement individuel.

Favoriser le développement de chaque personnalité, permettre à chacun de conduire sa vie : cet objectif correspond au stade d'évolution économique libératrice que nous avons atteint. Il répond aux aspirations profondes des Français, et à ce qu'il y a de plus caractéristique dans notre culture nationale : le sentiment de la valeur de l'individu et le goût de la liberté.

Une conception collectiviste de l'organisation sociale, dominée par la notion de masse, est à l'opposé de l'évolution souhaitée par notre société. Ceci touche le fond des choses. Il ne suffit pas de poser une couche de peinture, serait-elle tricolore, sur un projet collectiviste pour le rendre approprié au tempérament et aux besoins du peuple français. Il n'y a de projet social valable pour la France que s'il vise à donner un contenu toujours plus large et plus vivant à la liberté individuelle de chacun.

Ceci concerne, bien entendu, les libertés fondamentales chèrement acquises par la nation et que, de façon risible, certains nous invitent à conquérir comme si nous ne les possédions déjà et comme si nous n'étions pas une des très rares fractions de l'humanité à en disposer aujourd'hui.

Ceci concerne également des libertés plus modestes, dont chacune est en contradiction avec une conception collectiviste de l'organisation sociale. Libertés de la vie privée; libertés de la vie professionnelle.

Dans la vie privée, il s'agit de l'accès à un habitat individuel qui ressemble le moins possible à une alvéole dans une ruche de ciment et le plus possible à une maison, et qui, chaque fois que cela se peut, soit la propriété familiale; du droit de choisir librement son médecin, son avocat; de décider soi-même les études de ses enfants, le lieu de ses vacances...

Dans ces différents domaines, de puissantes organisations, à caractère lucratif ou désintéressé se sont constituées : mutuelles, offices de logement social, œuvres des entreprises ou des comités d'entreprises, organisations de voyage. Elles rendent des services irremplaçables et sont une des conquêtes de notre temps, aussi longtemps qu'elles sont au service de l'individu. Mais qu'en droit ou en fait, elles s'imposent à l'individu comme seul recours, et le voici non plus libéré mais dépendant. Aussi faut-il veiller à ce qu'aucune d'entre elles n'acquière jamais ce pouvoir exorbitant.

C'est dire que l'organisation collectiviste de la vie quotidienne constituerait une régression pour notre société. Il est singulier que certains fassent l'éloge de ce système, tel qu'il fonctionne dans d'autres pays, alors qu'ils ne le supporteraient pas un instant s'il leur était appliqué et que d'ailleurs leur mode de vie personnel en apporte l'ironique démonstration.

Le rôle de la société n'est pas d'enrégimenter l'individu pour façonner son esprit, mais au contraire, de le libérer pour faciliter son épanouissement.

Maintenant que les besoins matériels des hommes commencent à être plus largement satisfaits, leurs aspirations culturelles vont prendre une importance croissante.

Ayant opté, à la différence des sociétés collectivistes, pour la liberté d'expression et de création, sans autre limite que celle qu'impose la nécessité de protéger la sensibilité du public, notre société doit développer l'accès de tous au patrimoine culturel commun et l'usage individuel de tous les instruments de culture. Afin que ce qui existe en chacun de curiosité, de sensibilité et de capacité créatrice ait le maximum de chance de pouvoir s'exprimer.

Dans la vie professionnelle, l'organisation sociale doit favoriser l'épanouissement et non l'écrasement de la personnalité. Tâche qui commence avec la possibilité de choisir sa profession grâce à une éducation de niveau culturel élevé et intelligemment orientée ; qui implique l'amélioration de la sécurité et des conditions de travail, qui appelle le développement des expériences, encore timides, d'enrichissement des tâches et d'organisation d'équipes autonomes ; qui nécessite la « seconde chance » offerte par la formation permanente, moins pour rectifier une erreur de départ que pour généraliser une chance de promotion ; qui suppose enfin, à côté du travail salarié, le développement d'un large secteur de travail indépendant, souvent plus « gratifiant » par les libertés et responsabilités qu'il comporte.

Cette conception se situe, elle aussi, à l'opposé du collectivisme.

C'est évident pour le travail indépendant. Reconnaître dans la situation de celui qui, agriculteur, artisan, ou commerçant, se met « à son compte », non la survivance d'un âge dépassé, mais une forme valable d'accomplissement et de promotion, c'est prendre le contrepied du collectivisme. Ce que l'on sait de l'organisation collectiviste des fonctions agricole, artisanale et commerciale, atteste la faillite du système dans ces domaines.

Il en va de même pour le travail salarié. Les nécessités techniques qui ont conduit, quels que soient les régimes, à la constitution de grands établissements industriels ou tertiaires dans certains secteurs définis de l'économie, impliquent l'existence de puissantes structures collectives, tant de la part des entreprises que des travailleurs.

Mais si l'on choisit de favoriser le développement de l'individu, il ne faut pas le laisser laminer par ces structures. Il est indispensable de maintenir la liberté de choisir son entreprise, de quitter celle-ci, pour entrer dans celle-là, sans l'autorisation de personne. Aucun appareil ou administration ne doit contrôler l'embauche ou la promotion.

D'une façon générale, le remède à ce qu'il y a de trop pesant pour l'individu dans la vie industrielle moderne ne doit pas être cherché dans une organisation plus pesante encore, comme le serait une structure collectiviste. Mais dans la protection et le développement de toutes les libertés individuelles des travailleurs.

Notre société se fonde sur la responsabilité de l'individu.

La sécurité n'est pas le « sécurisme », mais la mise en place, partout, d'un plancher de sécurité, c'est-à-dire de garanties minimales, aussi élevées que possible, et au-delà desquelles s'exercent l'initiative et la responsabilité individuelles.

Notre époque a vu le développement rapide d'institutions destinées à protéger chacun contre les risques majeurs de l'existence : maladie, chômage, vieillesse.

Cette évolution est positive. Une des injustices de la société d'autrefois était de faire subir par l'individu les conséquences d'événements ou de situations sur lesquels il n'avait pas de possibilité d'agir.

Cette sécurité et cette protection contre l'insurmontable doivent encore être améliorées et étendues. Les actions déjà évoquées, dont le but est de mettre tout Français à l'abri de la misère, vont dans ce sens. La garantie de 90 % de leur salaire brut aux chômeurs victimes d'un licenciement économique, mise en place depuis deux ans, constitue également un progrès de la société. De même, la généralisation de la sécurité sociale à tous les Français, décidée pour le 1er janvier 1978, couronnera cinquante années d'évolution. Elle correspond à une nécessité.

Mais il doit y avoir une limite à cette prise en charge collective dans une société tournée vers l'épanouissement de l'homme. Les abus relevés dans certains cas d'indemnisation du chômage ou dans le fonctionnement de l'assurance-maladie, pour ne citer que ces deux exemples, illustrent cette nécessité. Autant il est justifié de garantir l'être humain contre des événements qui le dépassent, autant il est pernicieux de le dispenser de sa part d'effort à l'égard des éléments sur lesquels il peut agir, sans s'en remettre à la collectivité.

Certains, tout en se prétendant bruyamment favorables à l'autonomie de l'individu, se font une spécialité de réclamer en toute circonstance des garanties accrues de la part de la collectivité. Ils se gardent bien d'indiquer le prix de ce « garantisme ». Sans doute tablent-ils sur la naïveté du public, porté à croire que l'avantage est gratuit, ou que ce sont d'autres qui paieront entièrement pour lui.

Cela est évidemment inexact. Actuellement, sans même tenir compte de la part financée par l'impôt, chacun de nous paie les diverses sécurités dont nous avons entouré notre existence par un prélèvement de l'ordre de 35 % sur son propre salaire. On peut craindre que si ce pourcentage devait encore augmenter, l'avantage net pour l'individu n'en soit pas accru, mais réduit. La question se pose objectivement de savoir si la part du traitement ou du salaire sur l'emploi duquel l'individu n'a aucun pouvoir de décision ni d'affectation, doit croître indéfiniment sans limite. Ou si, comme nous le pensons, pour protéger l'individu et sa liberté de choix, une limite doit être tracée, au-delà de laquelle la société changerait de nature.

Plus importantes encore que les considérations financières sont celles qui touchent à la responsabilité personnelle et au droit à l'initiative.

La nature humaine est ainsi faite que le besoin de s'affirmer et de se dépasser est un de ses ressorts profonds.

Il est à l'origine des plus grands accomplissements des hommes et de leurs joies les plus fortes. C'est pourquoi loin de décourager l'initiative, loin de diluer la responsabilité, la société démocratique en favorise l'exercice.

Les systèmes collectivistes ne négligent pas cet aspect de la réalité humaine, qui est indestructible, mais s'efforcent de le capter à leur profit.

En partant du principe de la supériorité de la masse, ils canalisent les énergies individuelles par des dosages variés d'exaltation collective, de propagande et d'embrigadement, dans la direction unique qui a été fixée par le pouvoir central.

Ces systèmes ne sont pas dépourvus d'efficacité, mais ils conviennent à des tâches simples. Toutes les armées du monde font appel au ressort collectiviste pour mobiliser les énergies de leurs combattants. Le même ressort peut mettre en mouvement de nombreuses masses d'hommes pour de grands travaux publics ou agricoles. Mais plus les tâches productives deviennent complexes, moins l'organisation collectiviste a de chance d'être efficace.

C'est pourquoi on constate qu'à mesure que l'économie et la société deviennent plus évoluées, le principe collectiviste entre davantage en contradiction avec l'état des forces productives.

Ayant de moins en moins de prise sur les individus, ne pouvant susciter l'initiative et la responsabilité, les sociétés collectivistes sont victimes de l'inertie et de l'inefficacité, qui expliquent notamment le ralentissement constaté de leur croissance, l'apparition de leur déficit extérieur, et des situations caractéristiques d'inflation.

A côté de ces considérations d'efficacité sociale, n'ignorons pas ce qui se passe dans l'esprit et le cœur des individus.

Il serait injuste de méconnaître les joies qu'un sentiment d'appartenance collective procure à l'être humain. Mais c'est mutiler l'âme des hommes que de leur offrir, pour seule possibilité d'épanouissement, la voie de l'unisson. Une fois éteints les lampions de la fête, une tristesse grise étreint les sociétés collectivistes.

L'être humain demande une autre vie que celle de la fourmilière. Toute la vie culturelle du monde témoigne qu'il aspire à la diversité. Il n'a le sentiment de se développer vraiment dans sa dignité, et d'éprouver les joies dont il est capable, que lorsqu'il exerce, dans tous les aspects de sa vie personnelle et professionnelle, la plénitude de sa responsabilité. C'est pourquoi il n'y a pas de place pour le collectivisme dans notre société démocratique.

Le goût d'assumer ses responsabilités et la capacité de les exercer ne sont pas des données de naissance. Ils se développent par l'éducation et l'apprentissage, ou s'atrophient par le non usage et le laisser-aller.

L'abondance d'une société riche en biens de consommation, les garanties fournies par nos systèmes de sécurité, la molle obéissance réclamée par les grandes organisations, la passivité individuelle sollicitée par la publicité et les mass media, détendent les ressorts individuels. D'où le développement d'une résignation diffuse et aigre, entrecoupée de fugitifs sursauts, et décrite sous le nom de « malaise ».

Inversement, l'élévation du niveau de l'instruction, la diversité de l'information, la multiplication des choix offerts à chaque moment de l'existence, doivent rendre les individus plus entreprenants dans leur vie personnelle et professionnelle.

Notre société démocratique s'appliquera à développer chez ses membres le goût et la capacité d'être responsables, et leur en donnera les moyens.

Il faudra réexaminer sous cet angle de nombreux aspects de la vie collective : l'éducation familiale, scolaire ou professionnelle, le travail et les possibilités de promotion, le fonctionnement des systèmes sociaux de sécurité, et l'organisation de la vie quotidienne.

Il y a là, pour le progrès de notre société, une direction peu explorée, dont l'importance sera décisive.

***

Pour affronter un monde dont la vitesse de changement lui communique le vertige, pour apporter à notre société complexe la contribution dont il est capable, et recevoir d'elle ce qu'elle peut lui donner, l'homme d'aujourd'hui a besoin de toutes ses chances et de toutes ses forces. Deux exemples, celui de la famille et celui de l'éducation, illustreront cette idée.

La vie familiale est une des conditions de l'épanouissement individuel.

Pour la société collectiviste, avant tout préoccupée d'assurer son emprise sur l'individu, la famille est un concurrent potentiel, donc un objet de méfiance. Même si elle ne va pas toujours jusqu'à opposer délibérément les enfants aux parents, une telle société veille à maintenir la famille dans un statut subordonné.

La pensée libérale classique ignore de telles préoccupations et respecte donc, du moins en droit, l'autonomie familiale. Mais pour elle, c'est une affaire entièrement privée. S'il se trouve que les conditions existantes de la vie sociale contrarient l'épanouissement de la cellule familiale, tant pis : rien d'étonnant si celle-ci était durement éprouvée dans les classes les moins favorisées.

Au contraire, dans une vue authentiquement humaniste de la société, la famille doit être soutenue pour elle-même, et se voir reconnaître les moyens de participer pleinement à la vie sociale. Non pas, comme l'imagineraient les tenants nostalgiques d'un ordre patriarcal, pour contrôler l'individu et étouffer sa liberté, mais au contraire, pour permettre son épanouissement. L'être humain, comme certains de ses semblables des espèces animales, est ainsi fait qu'il a besoin de l'intimité d'une cellule familiale pour déployer ses ressources d'affection et assurer son équilibre.

L'égalité de l'homme et de la femme progressivement établie au sein du couple, la reconnaissance de la personnalité de chaque enfant, le respect de l'autonomie de chacun, sont des progrès qui se réalisent sans que la vie familiale elle-même soit mise en cause.

La famille apparaît ainsi à la fois indispensable au bonheur et au développement humains, et précieuse pour l'adaptation du tissu social. Aussi notre société doit-elle veiller à la mettre le plus possible à l'abri des vicissitudes et des hasards collectifs et individuels. Elle donnera aux réalités familiales, par une politique globale, les moyens d'occuper leur place dans la vie sociale et de modeler, chaque fois qu'il le faut, l'organisation sociale en fonction de leurs nécessités.

C'est également à partir de l'homme que doit être conçue *la grande œuvre de l'éducation et de la formation.*

L'éducation et la formation, initiale ou permanente, doivent tendre à assurer à chacun le maximum d'autonomie, et le développement de sa personnalité et de ses capacités.

Il en résulte trois conséquences.

En premier lieu, l'égalité doit être la règle. Elle implique la gratuité de tous les ordres d'enseignement, un soin particulier en faveur de ceux qui sont défavorisés par leurs origines sociales, un enseignement de base commun : la réforme de l'éducation, en instituant le même collège pour tous les jeunes Français, est conforme, nous l'avons dit, à cet objectif.

D'autre part, éducation et formation, mises au service de l'autonomie de la personne, doivent s'efforcer de donner à chacun les meilleures armes à l'égard de la vie en société. D'où la nécessité de développer un savoir et une formation professionnelle adéquate, qui permettent de dominer un métier, et non d'être assujetti ou dominé par lui. D'où aussi, dans l'ordre intellectuel, la nécessité pour l'éducation de développer l'esprit critique et le jugement personnel permettant d'apprécier les influences qui s'exercent sur soi, au lieu de leur être passivement soumis. Rien ne serait plus contraire à la mission de l'éducation dans une société pluraliste, que l'endoctrinement de la jeunesse au profit d'une idéologie.

Enfin, l'éducation doit développer aussi bien l'imagination et la sensibilité que l'intelligence, l'habileté manuelle que la capacité d'abstraction. Elle doit, par un effort d'individualisation, s'adapter le plus étroitement qu'il se peut à la personnalité et aux dons de chaque élève ou étudiant. C'est dire que l'orientation doit y être la règle générale.

CHAPITRE V

UNE SOCIÉTÉ DE COMMUNICATION ET DE PARTICIPATION

Notre société doit être une société de communication et de participation.

Ne proposer aux hommes et aux femmes de notre pays que la poursuite de leur intérêt individuel dans l'égoïsme et l'isolement, ignorerait les aspirations les plus profondes de la société française d'aujourd'hui, et notamment celle de sa jeunesse.

D'où la nécessité d'un double dépassement.

Dépassement de la quantité vers la qualité : du niveau de vie vers le genre de vie, de la rémunération du travail vers le contenu et le sens du travail, de la croissance sauvage vers la nouvelle croissance, de la destruction de la nature vers l'écologie.

Dépassement de soi vers les autres, afin de rétablir, par l'expression et la participation communautaire, l'échange d'une communication que notre société de béton et de formulaires administratifs a rompue. Il ne s'agit pas d'une communication indirecte, par le truchement d'une organisation de masse, mais bien d'une communication personnelle, qui réunisse une authentique communauté de personnes.

Rétablir la communication sociale interrompue par le gigantisme et l'anonymat contemporains, sera une tâche majeure de notre société.

Ceci nous conduit à retenir quatre orientations concrètes, fermement tracées, intéressant la politique de l'urbanisme, la réforme de l'administration, l'évolution de l'entreprise et le rôle des associations.

La première orientation est *une nouvelle conception de la ville.*

Parmi les grandes réalisations de la Ve République figure le tour de force d'avoir construit sept millions cinq cent mille logements, mettant fin à la pénurie dramatique provoquée par trente ans de blocage des loyers et d'inertie gouvernementale.

En même temps, comment ne pas reconnaître dans beaucoup des ensembles nouveaux une cause profonde d'insatisfaction?

Dans ce domaine, la construction des vingt dernières années, n'a pas eu, à quelques tentatives méritoires près, la politique de ses idées. On a construit, ou laissé construire, des ensembles d'inspiration collectiviste, monotones et démesurés, qui ont secrété la violence et la solitude.

Il faut aujourd'hui réserver la préférence à l'accession à la propriété sur la location, au logement individuel sur l'immeuble collectif, à la réhabilitation de l'habitat ancien sur la construction neuve, à la petite ville sur la mégalopole, et donner un coup d'arrêt définitif au gigantisme.

Ainsi, sera créé un cadre de vie à la dimension de l'homme, respectueux de l'existant, favorable à une organisation personnelle de la vie, propice au développement de la communication sociale et aux relations de voisinage.

Une seconde orientation consiste en *un changement profond de la pratique administrative.*

Nous nous réjouissons, certes, de disposer d'une administration compétente et intègre, ce qui est un bienfait rare dans le monde. Mais il faut convenir que rien ne va tout à fait dans ses rapports avec l'administré : lenteurs, paperasse, incompréhension, anonymat, bureaucratie. Notre administration donne parfois, malgré elle, comme un avant-goût de ce que serait une société collectiviste. Elle a été formée, en effet, pour accomplir des tâches bien délimitées de souveraineté, alors que l'évolution sociale a fait d'elle un des principaux partenaires de notre vie quotidienne.

Il lui faut procéder à une véritable conversion interne, accepter le face à face, respecter dans l'administré son semblable, réinventer un langage accessible, résoudre les problèmes plutôt qu'élaborer des textes, tenir compte de la valeur du temps. Action passionnante pour les nouvelles générations d'administrateurs, puisqu'il s'agit de créer un nouveau style de langage et d'action.

Beaucoup a été dit sur l'*aliénation de l'homme moderne au travail.* La dimension écrasante des entreprises, le poids des hiérarchies, la parcellisation des tâches enferment le travailleur dans le sentiment qu'il ne s'appartient pas à lui-même, et qu'il est étranger à son travail.

Certains ont pensé trouver une réponse dans l'idée *d'autogestion :* « le collectif des travailleurs » élit et contrôle les dirigeants de l'entreprise, elle-même préalablement nationalisée.

Relevons d'abord que l'autogestion, idée qui évoque la maîtrise retrouvée du travailleur de l'industrie sur son travail, ne mérite guère son nom. En effet, elle ne supprime ni la hiérarchie, ni la spécialisation, causes fondamentales du sentiment qu'éprouvent souvent les travailleurs des grandes entreprises de n'être que les rouages passifs d'un mécanisme anonyme.

En second lieu, le propre de l'entreprise, sous quelque régime que ce soit, est d'être un rassemblement de concours divers : le travail de toutes qualifications et notamment celui des cadres ; l'épargne apportée ou prêtée, les éléments tirés de l'environnement ou procurés par la collectivité tout entière. L'entreprise ne peut donc s'identifier exclusivement à l'un de ces éléments, si important soit-il. Aussi la direction des grandes entreprises modernes constitue-t-elle le plus souvent une fonction distincte à la fois du travail et du capital. Il appartient précisément au *management* salarié, qui exerce cette fonction, d'obtenir des divers partenaires de l'entreprise qu'ils agissent de façon convergente.

Il y a plus. En raison de la masse des moyens

techniques, financiers, commerciaux qu'elles ont accumulés, les grandes entreprises, libérales ou collectivistes, sont nécessairement des institutions. Leur horizon dépasse forcément, dans l'espace et dans le temps, celui de chacun des travailleurs qu'elles emploient. Leurs finalités ne peuvent donc se confondre. Entre les nécessités du développement à long terme de l'outil de production et l'intérêt immédiat des travailleurs, qui est d'obtenir le maximum de rémunération, il ne peut y avoir objectivement d'identité.

C'est pourquoi, dans toutes les sociétés où la liberté leur en a été reconnue, les travailleurs ont créé des organisations à eux : syndicalisme, délégués du personnel, comités d'entreprise, qui ont pour objet d'exprimer leur intérêt propre, lequel ne se confond pas avec celui de l'entreprise.

La réciproque est vraie. Le méconnaître, c'est risquer de donner trop souvent, dans la gestion de l'entreprise, la préférence au présent sur l'avenir.

Enfin, la tâche d'une entreprise moderne est de faire converger avec une extrême précision et une grande sûreté un nombre considérable d'actions, d'intérêts et d'efforts de nature différente. Ce tour de force quotidien n'est possible que si la multitude de mouvements qu'il suppose est réglée par une autorité dont le principe ne soit pas, à tout instant, contesté. Dans l'état présent des mentalités et des comportements, il n'est pas imaginable que cette condition soit remplie dans des entreprises où la désignation et le contrôle des dirigeants deviendrait l'enjeu de luttes permanentes et de caractère inévitablement politique.

C'est pourquoi l'autogestion proprement dite ne peut constituer, dans une société industrielle, qu'un état éphémère ou de pure apparence. Aucune économie, aucune population, ne peuvent supporter durablement les désordres et l'impuissance qu'elle contient en germe et auxquels elle conduit. Sauf à réintroduire les mécanismes de l'économie libérale, une reprise en main par le pouvoir central, sous une forme ou une autre, devient inévitable. Les quelques expériences connues d'autogestion montrent qu'il ne s'agit pas là d'une hypothèse d'école. L'autogestion n'est pas un système stable. Dès lors, est-ce rendre service aux travailleurs que de vouloir les entraîner dans cette direction?

L'impossibilité manifeste d'appliquer l'autogestion aux grandes entreprises risque de conduire ses partisans à vouloir l'expérimenter dans les petites, ce qui implique leur dépossession préalable. Ainsi l'idée d'autogestion mène à une collectivisation généralisée de l'économie.

Ici, je dirai que l'accablement vous saisit.

Il est redoutable de penser que si les aléas de la politique y conduisaient, la France, qui aime à se dire un des pays les plus intelligents du monde, et qui est en compétition sévère avec des pays efficacement organisés, les uns d'organisation libérale, les autres de structure sociale-démocrate, dont aucun n'accepte d'envisager une telle formule, se déclasserait pour longtemps en désorganisant son économie. Elle ne tarderait pas à rejeter une méthode inapplicable, mais après en avoir goûté les fruits amers.

La réforme de l'organisation et du fonctionnement internes de l'entreprise doit être recherchée dans deux voies.

D'une part, la participation des représentants des travailleurs à la vie de l'entreprise, dès lors qu'elle n'entrave pas l'exercice des responsabilités, répond à l'aspiration des travailleurs à n'être pas tenus à l'écart des décisions qui les concernent. Cette participation prend particulièrement son sens à l'échelon de l'encadrement, qui y est préparé par ses fonctions. Dans un premier temps, la loi doit rendre cette participation possible, en en définissant les mécanismes, et en confiant à l'entreprise et à la concertation des parteñaires, le soin de la mettre en œuvre.

D'autre part, le progrès doit être recherché à l'échelon des travailleurs eux-mêmes, car leur aspiration principale concerne l'organisation de leurs tâches.

La réforme de l'entreprise suppose un faisceau d'efforts que les partenaires sociaux mettront en œuvre au sein de l'entreprise : un style nouveau dans les rapports hiérarchiques, eux-mêmes allégés, chaque fois qu'il se peut, des échelons non indispensables ; des expériences d'équipes autonomes ; la possibilité donnée périodiquement au travailleur individuel de s'exprimer lui-même, directement, sur le contenu et les conditions de son travail.

Il est essentiel que, sans perdre son efficacité productive, la grande entreprise industrielle ou tertiaire, où tant de Français passent la plus grande part de leur vie, devienne progressivement une véritable communauté humaine permettant l'initiative, la responsabilité et la communication.

Pour favoriser la communication sociale, une place de choix revient enfin au *développement des associations.*

L'association se distingue de l'organisation de masse. Celle-ci a une idéologie, un langage, une stratégie. C'est une puissance qui mène un jeu de puissance, vis-à-vis de ses propres membres comme de l'environnement extérieur. L'association, ce sont simplement des hommes et des femmes, rassemblés par un projet commun qu'ils réalisent eux-mêmes, sans intermédiaire, ni pression, et souvent dans un but d'intérêt général.

Elle est un moyen essentiel d'action et d'expression dans une société démocratique.

Finalement, que cherchons-nous? Retrouver l'homme dans la ville, dans l'administration, dans l'entreprise, à travers les associations, recréer des communautés humaines. Non pas, comme dans la société rurale ancienne, pour enserrer l'individu dans un réseau de contraintes, ni, comme dans la société collectiviste, pour l'annihiler dans une masse, elle-même manipulée. Mais pour rendre à l'individu la dimension fraternelle, qui est celle de sa chaleur et de sa solidarité.

Une société d'hommes libres et responsables devient alors une communauté.

TROISIÈME PARTIE

POUR QUE VIVENT LES LIBERTÉS

Toute réflexion sur la société implique une réflexion sur le pouvoir.
Une société de libertés démocratiques nécessite une structure pluraliste du pouvoir. Mais ce pluralisme ne saurait être seulement politique : il doit être total.

Nous en tirerons les conséquences.

CHAPITRE VI

PLURALISME ET LIBERTÉ

Nous avons souligné l'insuffisance, mais aussi l'actualité de la pensée libérale. L'insuffisance, parce que le libéralisme classique ne reconnaît que le pouvoir politique, alors que le pouvoir n'est pas seulement politique, mais économique, social, spirituel. En même temps, l'actualité du libéralisme : tandis que sur plusieurs continents l'expérience montre l'impuissance des systèmes collectivistes à permettre une pratique démocratique du pouvoir, la conception libérale de pluralité des pouvoirs confirme sa vitalité.

Elle reçoit aujourd'hui en France l'hommage, prononcé d'un ton un peu forcé, de ceux qui, pendant soixante années, n'ont cessé de la tourner en dérision. Sans doute, la soudaineté du revirement, l'aisance avec laquelle il s'est accompli, jettent un doute sur son authenticité. Mais la reddition intellectuelle qu'il constitue n'en a que plus de signification.

Dans notre partie du monde, il n'y a plus aujourd'hui de conception avouable du pouvoir, que libérale. Prenons-en acte.

Mais les idées exigent d'être pensées jusqu'au bout. Pourquoi l'idée fondamentale, selon laquelle seule une structure pluraliste du pouvoir est compatible avec la démocratie, ne serait-elle vraie que dans l'ordre politique? Pour l'admettre, il faudrait supposer que la sphère du politique est entièrement indépendante des autres : erreur dont Marx a été précisément l'un des premiers à faire justice.

Le pluralisme ne se divise pas. Son application porte sur la société tout entière, et s'étend à chacun des domaines de la vie sociale.

Le pluralisme de la société tout entière implique que les divers pouvoirs à l'œuvre dans nos sociétés ne puissent en aucun cas se confondre, et notamment les quatre types essentiels de pouvoirs que sont : le pouvoir d'État, le pouvoir économique, le pouvoir des organisations de masse et le pouvoir de la communication de masse. C'est le sens nouveau que revêt aujourd'hui la règle de la séparation des pouvoirs.

Parodiant un mot célèbre, on peut dire que toute société dans laquelle ces pouvoirs ne sont pas séparés ne respecte pas le pluralisme.

Une société authentiquement démocratique doit être intégralement pluraliste. Cette exigence s'étend à chacun des pouvoirs pris séparément.

La structure pluraliste du pouvoir politique suppose évidemment la pluralité des partis, et les libertés qui l'accompagnent, mais aussi la *distinction effective des pouvoirs d'État :* l'autonomie de l'exécutif par rapport au législatif, telle que la Constitution de la Ve République l'a instaurée et que la majorité l'a respectée, l'indépendance judiciaire, telle que la tradition républicaine l'établit, et dont le Président de la République est le garant, indépendance que j'ai scrupuleusement protégée.

Elle implique aussi un *pouvoir local, et d'abord communal,* qui soit réel.

Des siècles de centralisation pèsent sur nous. Nous leur devons l'hypertrophie parisienne et l'atonie de certaines provinces, comme aussi le foisonnement de la réglementation, et le développement insuffisant des responsabilités.

Il est contraire au principe libéral du pouvoir de traiter au sommet des questions qui peuvent être réglées à la base. Un puissant mouvement de décentralisation est nécessaire, qui transfère à des collectivités locales revigorées et dotées de ressources financières appropriées, des attributions retenues par l'État central.

Qu'on ne s'y méprenne pas. Il ne s'agit pas d'ajouter quelques mesures techniques à celles qui sont déjà intervenues dans ce sens au cours des années passées. Mais bien de viser à un véritable changement de nature dans les rapports respectifs de l'État, des collectivités locales et du citoyen.

Bien entendu, en de telles matières, il ne s'agit pas d'imposer des bouleversements. Il faut fixer un objectif à terme réaliste, tel qu'il puisse recueillir un consensus, et conduire vers lui l'évolution. C'est pourquoi une instance de réflexion de haut niveau a été constituée, avec la charge de définir la structure souhaitable de notre organisation locale à la fin du XXe siècle, restituant aux collectivités locales les trois éléments du pouvoir que sont les attributions, les moyens et les responsabilités. Une loi fondamentale devra déterminer les compétences propres de l'État, des départements et des communes.

L'adoption pour Paris d'un statut de plein exercice, mettant fin à cent ans de régime d'exception, prouve qu'en un tel domaine, l'évolution peut être conduite à son terme. La société démocratique aura donné un maire aux Parisiens.

Il restera enfin, pour le niveau supérieur de l'organisation locale, à revoir la répartition des compétences entre le département et la région, la superposition de trois collectivités locales étant excessive, à un moment où viendront s'y ajouter des instances européennes. C'est un choix qu'il faudra effectuer dans quelques années, après un temps raisonnable de mise à l'épreuve loyale et complète des institutions régionales actuelles.

Si importante que soit cette question, elle ne concerne que les modalités de la décentralisation. L'essentiel, c'est le principe de la décentralisation lui-même : il doit être appliqué hardiment.

La pluralité nécessaire des *organisations de masse* est officiellement admise aujourd'hui par tous, s'agissant notamment des partis politiques. Ralliement sincère, c'est une autre affaire, mais en tout cas, ralliement.

De même, le pluralisme s'impose dès lors qu'il s'agit de *communication de masse.*

Pluralisme de la presse écrite, qu'il est indispensable de préserver et dont le maintien justifie, dans leur principe, les aides attribuées par l'État pour alléger les charges de fabrication des journaux d'information. Une réflexion publique, conduite avec l'ensemble des parties intéressées, devra porter sur les moyens de préserver l'indépendance et la pluralité des organes de presse.

Pluralisme aussi des moyens de communication audiovisuels. L'éclatement de l'ancien office de radio et de télévision en plusieurs sociétés nationales, effectivement indépendantes les unes des autres, contribue à la consolidation de nos libertés. La règle de l'indépendance et de la concurrence, doit être développée dans tous ses aspects, en y intégrant l'objectif de qualité culturelle des programmes.

Dans ces domaines, la nécessité du pluralisme n'est réellement pas contestée chez nous, du moins ouvertement. Il suffisait donc de la rappeler. Il en va tout autrement *dans l'ordre de l'économie.*

En effet, depuis plusieurs années, le problème de la nationalisation des grandes entreprises françaises a été placé au cœur du débat politique.

Ici aussi le pluralisme des pouvoirs est indispensable : la multiplication des nationalisations, en mettant toutes les entreprises importantes directement entre les mains du pouvoir politique, affaiblirait bien plus qu'elle ne renforcerait la démocratie.

Le préambule de la Constitution de 1946, auquel se réfère la Constitution en vigueur prévoit la nationalisation des entreprises lorsqu'elles ont le caractère d'un service public national ou d'un monopole de fait. Cette conception a présidé à la plupart des nationalisations effectuées à la Libération. Elle n'a pas à être remise en cause. Tout récemment, elle a conduit le Gouvernement à proposer la nationalisation du service public de l'électricité de la Martinique, de la Guadeloupe, de la Guyane et de la Réunion, à laquelle le législateur de 1945 avait omis de procéder.

Mais loin d'être une panacée, la nationalisation ne doit être envisagée qu'en tout dernier recours, car la multiplication des nationalisations conduit inévitablement à une redoutable concentration du pouvoir économique, puis du pouvoir tout court.

Certes, une nationalisation qui laisse subsister intégralement l'économie de concurrence, comme celle de Renault en 1945, ne modifie pas substantiellement la structure du pouvoir économique. Elle ne change guère, en vérité, que la procédure de désignation des dirigeants.

En contrepartie, elle fait reposer sur le contribuable la charge de l'indemnisation (sauf bien sûr le cas de confiscation) et, pour l'avenir, l'oblige à remplacer, pour l'apport de capitaux frais, l'épargnant défaillant par le budget.

De plus, l'expérience montre que les entreprises nationales du secteur concurrentiel font peu de profits et paient une faible part de l'impôt sur les sociétés. De telles nationalisations modifient ainsi la répartition du prélèvement fiscal en accroissant la part demandée aux particuliers et aux entreprises demeurées privées.

A cela se limitent, pour l'essentiel, les changements.

Mais c'est précisément ce que les partisans du collectivisme critiquent : les nationalisations qu'ils réclament sont à l'opposé de celle de Renault. Elles ont pour but de soustraire les entreprises à la concurrence et de les assujettir à une planification autoritaire, baptisée démocratique.

Cette position a sa logique. A quoi bon multiplier les nationalisations, si c'était pour ne rien changer à la structure du pouvoir économique ni aux principes de la gestion des entreprises ?

On voit ainsi que la propriété privée du capital des entreprises n'est pas une singularité anachronique, un détail accessoire du système social. Elle est, au contraire, inhérente à une certaine organisation de l'économie, comportant la concurrence et l'autonomie des entreprises. On ne peut vouloir l'une sans l'autre, comme le montre d'ailleurs, sur la carte de la planète, la répartition de chaque système. Il n'existe pas de pays où l'essentiel des grandes entreprises soit nationalisé, et où subsistent les formes de liberté dont nous nous réclamons.

C'est dire que la nationalisation systématique des grandes entreprises signifie nécessairement le choix d'un système économique profondément différent, dans lequel les entreprises ne sont plus autonomes, mais dépendantes, et où la concurrence s'efface devant une organisation centralisée.

Un tel système comporte de lourds inconvénients sur le plan strictement économique. *Mais il y a plus grave :*

il est en contradiction avec le principe démocratique de la pluralité des pouvoirs.

Une société dans laquelle les grandes entreprises, du fait de la nationalisation et de la planification autoritaire, sont directement assujetties au pouvoir politique et à sa bureaucratie, cesse d'être une société pluraliste. Le pouvoir y est à ce point concentré qu'il y est inévitablement oppressif.

Si les puissances économiques coïncident avec le pouvoir d'État, qui nous protégera des puissances économiques?

La concentration du pouvoir, notamment celle qui naît de la confusion du pouvoir politique et des pouvoirs économiques ne rapproche pas de la démocratie, mais en éloigne.

Or les nationalisations systématiques ne sont aucunement nécessaires.

Quel est le but poursuivi, du moins ouvertement, par les tenants des nationalisations? C'est de soustraire des activités importantes du point de vue de l'intérêt général à l'influence abusive d'intérêts privés trop puissants, en particulier, de monopoles ou de grandes puissances financières.

Les moyens de le faire existent, et ne doivent rien à la collectivisation.

Ils s'appellent concurrence, contrepoids, contrôle public.

La concurrence est l'arme par excellence contre les

monopoles et les situations dominantes. La concurrence les combat en les disloquant.

La concurrence étrangère, telle que la France l'a acceptée depuis quinze ans, notamment grâce à son option judicieuse en faveur du Marché Commun, et qui a joué un rôle irremplaçable dans notre essor économique, est une arme puissante contre les situations de monopole dans les branches à fort équipement technique.

Dans certains secteurs, la dimension et le pouvoir des grandes firmes multinationales sont tels que, même à l'échelle planétaire, la concurrence est insuffisante. Pour y remédier des initiatives seront nécessaires sur le plan international, en particulier sur celui de la Communauté européenne. En outre des politiques nationales appropriées sont indispensables, ce qui justifie l'action menée en France dans les secteurs de pointe.

Une politique interne de concurrence et de lutte contre les ententes et les positions dominantes est également indispensable.

L'état de concurrence n'est pas spontané : son établissement, son maintien nécessitent une intervention publique. Cette action, qui va directement à l'encontre du penchant national à l'entente tacite, a été engagée depuis plusieurs années et a conduit de grandes entreprises devant les tribunaux. Elle sera poursuivie : le refus du monopole est essentiel à une conception démocratique de la vie économique.

A côté de la concurrence, il faut mettre en place *des contrepoids*.

Un syndicalisme vivant, indépendant des entreprises,

comme de l'État et des partis politiques, constitue un contrepoids puissant et nécessaire, comme l'expérience interne et externe le montre chaque jour.

La consommation, qui commence seulement à s'organiser, en constitue un autre.

Tout système économique dans lequel le travail et la consommation ne disposent pas d'organisations autonomes et de pouvoirs propres, n'est pas pleinement démocratique. Nulle nationalisation ne peut tenir lieu de ces contrepoids.

Enfin, le contrôle de la collectivité elle-même est indispensable. Il lui appartient de définir les responsabilités de tout pouvoir économique important, et de les faire respecter.

Qu'il s'agisse de défendre les intérêts et les droits des consommateurs ou des travailleurs, des prêteurs ou des petits actionnaires, des fournisseurs ou des sous-traitants, ou encore de faire respecter l'environnement, il appartient à la collectivité, agissant par la loi, d'édifier les protections nécessaires contre les abus auxquels est inévitablement portée toute entreprise puissante, publique ou privée. Une part significative de notre législation n'a pas d'autre objet. Celle-ci doit évidemment être encore développée et améliorée.

Encore faut-il, pour que le contrôle soit réel, et la protection qu'il assure, effective, que le contrôleur — c'est-à-dire la collectivité — et le contrôlé — c'est-à-dire l'entreprise — ne soient pas confondus.

On le voit : s'il s'agit de protéger la société de la domination des puissances économiques, la nationalisation n'est pas nécessaire. Et s'il s'agit, par son moyen, de permettre au pouvoir politique d'assurer sa domination sur la société, la nationalisation est dangereuse.

Aussi, au lieu de collectiviser le capital des grandes entreprises, il faut au contraire diffuser ce capital dans l'ensemble de la nation.

Dans les démocraties industrielles, si la propriété des petites et moyennes entreprises conserve généralement le caractère d'une propriété familiale, celle des plus importantes est en revanche distribuée entre un très grand nombre de mains, et par là même largement dessaisie des prérogatives de commandement dont elle disposait à l'époque classique du capitalisme industriel. Seul l'apport d'un vaste public permet en effet de réunir les moyens nécessaires au financement de ces entreprises. Ainsi se réalise, dans les pays les plus avancés, la diffusion populaire du capital de l'industrie.

En France, ce phénomène s'observe, mais sans atteindre la même dimension que dans les pays plus anciennement industrialisés. Les pouvoirs publics doivent continuer d'imaginer les moyens de rendre la propriété du capital mobilier de la nation plus diffuse et accessible aux épargnants les plus modestes, se fixer en ce domaine des objectifs précis et y consacrer leur persévérance.

On voit ainsi ce que nécessite une véritable démocratie. Celle-ci ne consiste pas à coiffer un système social centralisateur d'une superstructure politique d'apparence pluraliste. Elle implique au contraire *d'étendre en profondeur l'exigence pluraliste à toute la substance de la société.*

Un tel résultat ne s'obtient pas spontanément. La tâche à poursuivre est de développer, dans chacune des sphères de la vie politique, économique et sociale, l'exigence pluraliste.

CHAPITRE VII

PATRIMOINE ET LIBERTÉ

La liberté suppose une certaine forme de sécurité.

La possibilité pour le vagabond de marcher sur la route peut être décrite comme une liberté. Mais il la ressent plus exactement comme une fatalité et une angoisse.

Pour pouvoir s'exercer dans la sécurité, la liberté doit s'accompagner de la possession d'un patrimoine.

Certes, d'autres sécurités ont été progressivement assurées à l'individu. Sécurité contre la maladie, contre les conséquences du chômage, sécurité des ressources de la vieillesse. Et ces progrès, nous l'avons dit, doivent être poursuivis.

Cependant, la sécurité par la solidarité ne résout pas tout le problème. Une sécurité supplémentaire est celle que procure à l'individu le sentiment d'avoir, bien à lui, un certain patrimoine. La liberté d'attendre, de choisir, de décider est renforcée par la possession autonome d'une « réserve », qui protège des incertitudes extérieures. Cela se constate dans les faits, et s'explique dans les principes.

Chacun se sent plus libre s'il dispose d'un avoir. L'attachement des Français à la possession d'une maison exprime le désir d'être « maîtres chez eux », c'est-à-dire libres. L'acquisition d'une voiture répond à un désir de déplacement autonome, libre de son heure et de sa route. Et il suffit d'avoir parcouru les pays collectivistes pour avoir ressenti d'une manière physique que la liberté y rejaillit dans la petite parcelle de terre que les paysans sont autorisés à conserver autour de leur maison.

Quant aux principes, le droit de propriété s'exerce dans toute société non collectiviste. S'il est réservé à quelques-uns, il sépare d'un côté les « puissants » et de l'autre les « exclus », au regard de la loi de cette société.

Notre démocratie doit assurer à tous ses membres la possibilité concrète d'acquérir un patrimoine minimum, une sorte de « patrimoine social ».

Cette idée chemine sous diverses formes. Elle est présente dans celle de la participation, imaginée par le Général de Gaulle, dans celle de la diffusion de l'actionnariat, expérimentée par le Président Pompidou. Elle inspire la préférence donnée depuis deux ans dans la politique du logement, en accord avec le sentiment profond de l'opinion, à l'acquisition de la maison individuelle. Déjà, un Français sur deux est propriétaire de son logement.

Il faut aller plus loin, et reconnaître le droit individuel à l'acquisition d'un patrimoine.

Quelle est la nature de ce droit? Ce n'est évidemment pas celui d'attendre passivement de la collectivité l'attribution de ce patrimoine. C'est celui d'avoir la certitude que l'ensemble constitué par les rémunérations et les mécanismes d'épargne et de crédit, est tel qu'au cours d'une vie de travail, toute personne puisse dégager, si elle le souhaite, les ressources nécessaires à l'acquisition d'un patrimoine minimum.

Droit abstrait, sans doute, mais droit qui peut conduire à une organisation coordonnée d'un certain nombre d'institutions — épargne-logement, intéressement aux résultats des entreprises, crédit social et mutuel — conçue en tenant compte de carrières-types, et assurant la possibilité, selon les cas d'acquérir un logement, de souscrire une assurance-vie, de constituer un capital mobilier.

Droit qui doit également conduire à la mise en place d'un mécanisme efficace pour la conservation de la valeur de l'épargne populaire.

Le montant de ce patrimoine minimum dépend évidemment du degré de développement de l'économie. Il doit croître avec celui-ci et être périodiquement révisé.

Il peut servir de référence pour l'exonération de base des droits de succession ainsi que des récupérations effectuées au titre du minimum vieillesse.

Mais plus encore, il doit assurer une sorte de garantie à la liberté individuelle, celle de pouvoir acquérir un niveau de sécurité qui la protège.

Une société démocratique a le devoir d'appliquer sa loi à l'ensemble de ses membres. Dès lors que la France, pays d'origine et d'instinct rural, associe patrimoine et liberté, cette règle ne peut pas bénéficier aux uns et ignorer les autres.

La démocratie française doit reconnaître et établir le droit individuel à l'acquisition d'un patrimoine social.

QUATRIÈME PARTIE

L'ORGANISATION DES POUVOIRS DANS LA DÉMOCRATIE FRANÇAISE

Le pluralisme du pouvoir garantit la liberté. Celle-ci ne doit pas être l'anarchie, pas plus que la diffusion du pouvoir ne doit conduire à l'impuissance. Le progrès démocratique ne débouche pas sur le désordre, mais sur un équilibre supérieur : celui de l'ordre dans la liberté et la responsabilité.

Il en est ainsi pour la conduite de l'économie et du développement social ; pour l'organisation de la vie collective en vue de préserver la sécurité et la paix ; et pour le fonctionnement de l'État dans une société démocratique.

L'organisation des pouvoirs dans la société française doit faire de celle-ci une démocratie ordonnée, forte et paisible.

CHAPITRE VIII

LA CONDUITE DE L'ÉCONOMIE ET DU DÉVELOPPEMENT SOCIAL

D'importants progrès nous restent à accomplir pour assurer à la collectivité la maîtrise réelle de son évolution économique. Cet effort de régulation suppose, dans une démocratie pluraliste, la concurrence et le fonctionnement du marché.

Je m'excuse auprès du lecteur du caractère ardu du développement qui va suivre. Je ne l'ai pas introduit par pédantisme, ni, on l'imaginera, pour aérer la lecture de l'ouvrage. Il m'a semblé nécessaire de traiter ce sujet, car il est au cœur du débat, comme il est au cœur de la vie sociale. A cet égard, l'aridité du texte n'exprime pas la désinvolture, mais le respect.

La concurrence et le marché sont souvent perçus de façon négative par les Français. Ils y voient une forme de désorganisation ou d'anarchie. Un lointain penchant pour l'étatisme, remontant au Colbertisme et aux temps de la Révolution et de l'Empire, la préférence souvent donnée au responsable du service public sur le chef d'entreprise, notre esprit cartésien, qui comprend mieux les systèmes mécaniques que biologiques, enfin les excès et les abus qui ont été commis au nom de la liberté, expliquent cette tournure d'esprit.

Cette méfiance est justifiée, dans la mesure où la société démocratique, décidée à soumettre le spontané au conscient, ne peut s'en remettre à des forces aveugles.

Mais une économie moderne est un système d'une extraordinaire complexité, dans lequel interviennent chaque jour des centaines de milliers d'informations et de décisions. Aucune centralisation collective ne peut faire fonctionner correctement un tel système. Il ne peut être conduit qu'en prenant appui sur de puissants mécanismes automatiques.

La comparaison avec un autre système complexe, qui nous est familier, aidera à mieux le comprendre : celui du corps humain.

Si chaque respiration, chaque pas, devait faire l'objet d'une décision consciente, il en résulterait aussitôt une infirmité. Les fonctions élémentaires — respirer, regarder, marcher — sont exercées de façon inconsciente, le cerveau n'étant alerté qu'en cas de mauvais fonctionnement. Ces mécanismes automatiques, au lieu de diminuer notre maîtrise sur notre propre corps, en sont la condition; le cerveau peut se consacrer à la direction de l'ensemble.

L'analogie s'applique au domaine économique. Si chaque décision élémentaire — produire tel bien, réaliser tel investissement, fixer tel salaire ou tel prix — doit faire l'objet d'une procédure de détermination à l'échelle de la société — ce qu'on appelle la planification autoritaire —, il en résulte, non pas une maîtrise accrue sur l'activité économique, mais simplement un haut degré d'inefficacité et de gaspillage, — une infirmité économique.

Partout où fonctionnent de telles procédures, que d'ailleurs les théoriciens s'efforcent vainement de faire modifier, cette infirmité se constate effectivement, et explique le ralentissement de la croissance, à mesure que s'achève l'industrialisation lourde et qu'apparaissent les besoins d'une économie diversifiée.

Cela ne signifie pas que notre société doive se désintéresser du fonctionnement de son économie. Elle doit, au contraire, faire tout ce qui dépend d'elle pour *mettre l'activité économique au service des hommes*.

Elle en a le moyen.

Par la dépense publique, qui représente 40 % de la production nationale et s'applique à tous les domaines de l'activité, par le prélèvement fiscal sur le revenu et les dépenses des particuliers et des entreprises, par l'action incitative sur leurs investissements, notre société dispose d'outils puissants pour orienter son développement.

Encore faut-il que l'emploi de ces outils s'appuie sur une réflexion et sur une vue d'ensemble à moyen et long terme. Il faut surtout que les décisions, loin d'être prises d'une façon arbitraire et unilatérale, soient éclairées par les avis de tous les responsables de la vie économique et sociale. A ces conditions, une société démocratique peut conduire consciemment son évolution.

Tel est l'objet de la planification souple, « à la française »*, transposition dans le domaine économique de la démocratie française.

Par la vision globale qu'elle propose du développement à venir, par les consultations et les confrontations qu'elle organise entre les acteurs de ce développement, elle est l'instrument qui permet de déterminer démocratiquement son orientation.

Bien entendu, des progrès importants peuvent encore être accomplis dans cette voie. La création du Conseil central de planification, réuni mensuellement, à la Présidence de la République, en présence du Premier Ministre, du Commissaire au Plan et des Ministres économiques et sociaux, donne au Gouvernement les moyens de mieux orienter l'action quotidienne de l'État vers les objectifs à long terme. Elle concourt ainsi à mettre la croissance au service d'une conception globale et démocratique de la société.

Pour que cette orientation et cette régulation soient efficaces, le fonctionnement de base de l'économie doit s'appuyer sur des mécanismes automatiques. Ainsi la direction sera « assistée ». Ces mécanismes sont ceux de la concurrence et du marché, permettant à l'initiative individuelle et à l'entreprise autonome de prendre directement en charge les décisions élémentaires.

* Rappelons que le mot de *planification,* comme bien d'autres, a deux significations profondément différentes. La *planification autoritaire* est le pouvoir que se donne l'autorité politique de fixer à la place des agents économiques, éventuellement sous peine de sanctions pénales, les normes détaillées de leur activité : prix, salaires, productions, rendements, achats, ventes, investissements, etc. La *planification souple* est l'acte par lequel, après des discussions approfondies avec les autres agents économiques, l'État leur *recommande* des objectifs, et s'impose à *lui-même* des normes pour l'avenir.

Une économie décentralisée et conduite constitue, par rapport à une économie à planification autoritaire, même qualifiée de démocratique, *une forme supérieure d'organisation sociale,* permettant d'articuler le conscient sur le spontané.

Cette supériorité est confirmée par l'expérience. On connaît la médiocrité des résultats des économies autoritairement planifiées quant à la productivité, à la qualité des produits, à leur adaptation aux besoins des consommateurs.

Ce n'est pas un hasard si aucun des pays à haut niveau de vie, ceux qu'il nous faut toujours considérer pour les rejoindre, ne pratique la planification autoritaire ou n'envisage de le faire.

Il faut être adepte de cette forme perverse de rêve qu'est l'illusion pour vouloir avancer dans cette impasse.

Il est indispensable que la conscience publique, même si elle se soucie peu du détail des mécanismes économiques, accède à la perception de ces deux principes complémentaires, de ce couple de données que la pensée chinoise appellerait la double unité : une société avancée ne peut se décharger sur la seule concurrence et sur le seul marché du soin de la conduire; pour se conduire elle-même, de façon consciente et efficace, elle doit confier aux mécanismes du marché le soin de régler le fonctionnement de base de l'économie, qu'elle peut alors corriger et compléter.

Ainsi, le conscient capte et guide le spontané.

Le jour où ces données seront pleinement acquises par l'opinion publique, la France aura franchi l'étape psychologique qui la sépare encore des économies les plus avancées.

Ainsi conduite, notre économie a comme premier objectif d'assurer durablement l'emploi et de maîtriser l'inflation.

L'objectif du plein emploi n'est pas hors d'atteinte puisqu'il a été réalisé chez nous pendant vingt-cinq années consécutives.

De 1950 à 1974, 5 300 000 emplois ont été créés, dans l'industrie, le commerce et les services. Le nombre total des Français et des Françaises occupant un emploi non agricole est passé, pendant cette période, de 13,8 millions à 19,1 millions, ce qui démontre l'éminente capacité d'une économie telle que la nôtre à créer des emplois.

Cependant, une progression lente, mais continue de l'inadaptation des emplois offerts et demandés s'observait avant la crise.

Le chiffre de 1 000 000 de personnes recherchant un emploi dont 500 000 depuis trois mois ou plus, avec ce qu'il recouvre de privation et d'anxiété, constitue un défi majeur pour notre société.

Regardons plus loin : une fois le plein emploi rétabli, est-il possible d'en assurer le maintien? Ou bien nos concitoyens, qui s'étaient cru à jamais à l'abri du chômage, devront-ils se résigner à en accepter le retour?

Une chose est en tout cas certaine : la solution du problème de l'emploi ne saurait être recherchée dans la planification autoritaire de l'économie.

Les économies à planification autoritaire ne laissent le plus souvent à leurs travailleurs, ni le choix de leur domicile, ni celui du métier, ni celui de l'entreprise. Dès lors, la notion même de plein emploi, tel que nous l'entendons, n'y a pas le même sens.

Dirait-on en France que le chômage est supprimé parce que l'autorité aurait le pouvoir d'obliger les chômeurs à rester à la campagne et de déguiser ainsi le sous-emploi? Le taux très élevé de population dite agricole dans les économies collectivisées atteste les difficultés qu'elles éprouvent à créer en nombre des emplois industriels et tertiaires.

Notre exigence de plein emploi ne trouve son sens que dans les pays de liberté.

La suppression durable du chômage est, en revanche, à la portée d'une économie pluraliste comme la nôtre.

Il est démonstratif qu'au plus fort de la crise récente, dans l'ensemble des économies d'Occident, le taux de chômage n'a pas atteint le tiers ou le quart de celui qui avait été éprouvé pendant la grande crise d'avant-guerre : les enseignements de Keynes et de Beveridge, qui nous ont appris à lutter contre le sous-emploi par la stimulation de la demande globale et par l'action sur l'investissement, ont été efficaces.

Il faut aller plus loin. Le plein emploi permanent est l'objectif prioritaire de la conduite d'une économie avancée, puisqu'il veut dire la pleine utilisation des capacités et des aptitudes, en même temps que la primauté reconnue à l'homme dans notre société.

Il suppose une grande variété d'efforts. Sur le plan international, une meilleure coordination des politiques conjoncturelles et monétaires des États industriels. Sur le plan interne, une meilleure formation générale et professionnelle des travailleurs et futurs travailleurs, la reconquête, grâce à leur revalorisation, de certains emplois abandonnés, un aménagement plus actif du territoire, l'élimination de multiples freins à la création d'emplois, la réduction progressive du temps de travail, davantage de souplesse introduite dans la durée individuelle du travail : autant de directions où l'action est engagée et où le progrès doit se poursuivre. Il est important de savoir que la mise en œuvre de ces moyens nous permettra, bien mieux que ne le ferait la bureaucratisation de l'économie, d'atteindre et de maintenir le plein emploi, conçu comme un équilibre dynamique.

Complémentaire à la recherche du plein emploi, *la lutte contre l'inflation* est indispensable au progrès de notre société.

Ici encore, il serait illusoire de penser que le collectivisme et la planification autoritaire donneraient de meilleurs résultats.

L'inflation n'est pas absente des systèmes collectivistes. Entendue comme le déséquilibre entre les biens offerts et demandés, elle y sévit lourdement. Il arrive qu'elle ne s'exprime pas dans les prix, autoritairement fixés, mais elle se retrouve alors dans l'ampleur des pénuries. Sa mesure est tantôt la hausse de l'indice, tantôt la longueur des queues devant les magasins. Et parfois le déséquilibre conduit à l'explosion.

Ce n'est pas un hasard si les monnaies des économies collectivistes sont inconvertibles et dépourvues de valeur sur le plan international. Ce ne sont pas en réalité des monnaies, mais des bons : elles ne sont pas échangeables contre des biens librement choisis, et ne peuvent être utilisées pour conserver la valeur. D'où l'usage exclusif, dans les transactions internationales, des monnaies des seuls pays à économie de marché.

Dans nos types d'économie, l'inflation reflète principalement, non la rareté des biens, mais la vivacité de la compétition des groupes sociaux pour le partage du « surplus » dégagé chaque année par la croissance. Elle est la plus forte dans les pays où les antagonismes des groupes sociaux et des organisations qui les représentent est le plus vif ; la moins forte dans les pays qui, comme l'Allemagne, ne connaissent aucun contrôle de prix, mais bénéficient d'une volonté de collaboration sans complexe de tous les acteurs sociaux, lesquels acceptent le système économique et social existant comme une « donnée perfectible » : ce qui exprime leur adhésion à l'attitude réformiste.

On voit combien est contraire à la vérité la thèse selon laquelle l'intensification de la lutte sociale serait un moyen approprié pour empêcher la hausse des prix.

On voit aussi à quelles conditions notre société peut venir à bout de l'inflation, ou en tout cas la contenir dans des limites acceptables.

La première de ces conditions est que l'opinion prenne pleinement conscience de la nécessité fondamentale de la stabilisation des prix. Nécessité économique, car l'inflation ronge la compétitivité de notre appareil productif et donc, dans une économie où deux ouvriers sur cinq travaillent pour l'exportation, menace directement l'emploi. Nécessité sociale, car l'inflation est injuste, même si beaucoup ont su s'en protéger. Nécessité nationale, car au-delà d'un certain seuil, l'inflation rompt le pacte social, constitue un facteur de décomposition de la société, et restreint l'autonomie de la politique extérieure.

Bien entendu, une responsabilité incombe à la puissance publique dans la lutte contre la hausse des prix. Il lui revient, par son action générale, notamment budgétaire et monétaire, d'assurer les équilibres économiques fondamentaux. Il lui appartient également, par tous les moyens dont elle dispose, réglementaires, administratifs, incitatifs, de lutter contre les comportements abusifs, d'imposer, là où elle fait défaut, une concurrence véritable, de donner elle-même l'exemple de la rigueur.

Mais ce serait une erreur de penser que dans une société pluraliste, la lutte contre l'inflation puisse être l'affaire de l'État seul.

Il est conforme à la nature d'une telle société que les agents économiques disposent d'une marge d'initiative et de liberté dans leur action. Cette marge peut être plus ou moins étendue, selon ce que les circonstances imposent. Mais elle doit rester substantielle, sauf à tomber dans le système de la planification autoritaire et du collectivisme. En particulier, la libre discussion des rémunérations, avec son corollaire, le droit de grève, est un élément fondamental de la vie d'une société pluraliste.

Mais qui dit liberté dit aussi responsabilité. La responsabilité de chacun des partenaires économiques et sociaux, et en définitive de chaque citoyen, à l'égard de la modération des prix et des revenus, est une donnée fondamentale de notre société. Nul ne peut, ni la contester, ni s'y dérober. Là encore, il appartient à l'opinion, par la force de ses jugements, d'obliger les uns et les autres à en prendre conscience et à l'assumer. Elle doit être, dans ce domaine, le plus sûr et nécessaire appui de l'action des pouvoirs publics. C'est ce qu'on appelle la confiance et qui est aussi la raison.

Cependant, la lutte contre l'inflation ne peut se dissocier, à nos yeux, des autres dimensions du progrès social dans une société démocratique.

L'excès des inégalités, en entretenant convoitises et ressentiments, donne à l'inflation un ressort puissant. La lutte contre les inégalités est l'une des conditions de l'action anti-inflationniste.

D'autre part, ce qu'il y a souvent d'inhumain dans la vie urbaine et industrielle d'aujourd'hui encourage inévitablement la recherche de compensations, même seulement apparentes, dans l'augmentation excessive des rémunérations. L'amélioration progressive du cadre de vie, le rééquilibrage de notre géographie humaine au profit des zones rurales et des petites villes, le développement des services publics essentiels à l'agrément de la vie quotidienne sont donc aussi, à leur manière, et à plus long terme, des armes contre l'inflation.

Reflet des tensions de la vie sociale, l'inflation est un baromètre des difficultés qu'éprouve une société libre à accomplir son progrès dans l'équilibre. Aussi, l'élimination durable de l'inflation sera, pour la démocratie française, un objectif majeur.

CHAPITRE IX

LA NOUVELLE CROISSANCE

Dans les années à venir, la croissance économique de la France *devra encore être forte.* D'abord en raison des importants besoins individuels et collectifs qui restent à satisfaire; ensuite parce que la forte croissance reste pour notre pays un des éléments nécessaires au plein emploi; enfin, parce que l'influence et l'indépendance de la politique française en Europe et dans le monde, supposent que notre développement économique nous fasse nettement rejoindre le peloton de tête des pays industriels, et qu'en particulier notre production industrielle se situe dans les années 1985 à un niveau comparable à celui de l'Allemagne fédérale.

De nouveaux progrès de production et de productivité devront être accomplis chaque année, dans l'industrie et dans l'agriculture. Toute politique économique qui ignorerait cette nécessité tournerait le dos aux intérêts de la France.

Mais cette croissance, encore forte, doit devenir une *nouvelle croissance.* Elle ne peut pas se contenter de reproduire, dans son contenu et sa répartition, celle des années passées. La croissance à venir doit tirer les enseignements de l'expérience antérieure à la crise — celle de la « morosité » de la société de consommation —, puis de la crise elle-même, — la nécessité d'économiser les ressources naturelles —, et répondre aux besoins des temps nouveaux. En ce sens, elle doit être une croissance nouvelle.

Quatre traits caractéristiques la distingueront.

La nouvelle croissance doit être plus équitable. Nous l'avons dit plus tôt : la justice, la solidarité, le renforcement de la cohésion sociale de la nation exigent que la répartition des produits de la croissance favorise davantage les faibles et les petits, de manière à éliminer la misère, à conduire à la suppression des privilèges, à réduire les inégalités qui rompent le consensus social. La fiscalité, les transferts sociaux, la politique contractuelle sont les instruments de cette politique, qui doit être conduite avec patience, et obstination.

La nouvelle croissance doit être mieux déployée, c'est-à-dire mieux adaptée aux nouveaux marchés mondiaux, en même temps qu'aux aptitudes distinctives de l'économie française — de manière à valoriser au maximum nos ressources naturelles, et la « valeur ajoutée » produite par nos travailleurs.

Sur ce point, les qualités propres de l'économie décentralisée, et notamment son extrême souplesse d'adaptation, constituent des atouts précieux. Le redéploiement industriel n'implique pas nécessairement, contrairement à une opinion souvent exprimée, une politique particulièrement interventionniste, mais suppose avant tout de laisser s'accomplir et parfois de faciliter les adaptations spontanées, en évitant les aides artificielles, ardemment demandées, qui visent à les empêcher.

Ces interventions peuvent être nécessaires, mais pour de tout autres motifs. Soit qu'il s'agisse de tempérer les évolutions qui imposent aux individus des efforts excessifs, ou des épreuves qui doivent être atténuées. Soit qu'il s'agisse d'éviter à l'économie française une spécialisation qui la rendrait tributaire à l'excès des fournisseurs ou des marchés internationaux.

La nouvelle croissance doit être plus économe et plus douce. Au cours des vingt-cinq dernières années, la croissance très soutenue que nous avons enregistrée a été obtenue dans l'intérêt de tous, mais non sans des coûts, humains et matériels, excessifs.

Il faut compter parmi ceux-ci des conditions de travail souvent trop rudes, notamment en matière de cadences, d'hygiène et de sécurité, des prélèvements importants sur les ressources naturelles, la dégradation de l'environnement, des investissements lourds et coûteux, le bouleversement d'équilibres naturels et humains venus, miraculeusement intacts, du fond des âges.

Ce style de croissance pouvait-il être évité? On l'affirme

aujourd'hui, cédant à la tentation facile de redessiner le cours d'événements, qui étaient à l'époque ressentis et décrits comme souhaitables. Mais il est vrai que la courbe de la croissance sauvage, brisant au passage les habitudes et les sécurités, conduisait à l'épuisement des ressources naturelles et à la névrose de l'espèce.

L'économie décentralisée doit s'adapter aux exigences d'une croissance, non pas sauvage, mais civilisée et, dirai-je, douce. Celle qui ne recourt aux investissements massifs et à l'entassement du béton que lorsqu'il est démontré qu'il n'y a pas d'autre solution; économe des ressources du milieu et de la tension des hommes; respectueuse des équilibres à sauvegarder, celui des générations et des groupes sociaux dans les villes, des activités dans une région, des systèmes biologiques dans la vie de notre planète et celle de notre espèce.

Il appartient au pouvoir démocratique de proposer la croissance douce par l'information, la recommandation et l'exemple.

Qu'on n'accuse pas le Président de la République de pointillisme lorsqu'il fait arrêter la construction d'une voie express face à Notre-Dame, établir un espace vert à l'emplacement des Halles, protéger la Cité fleurie, ou démanteler des tours obscures et anonymes. Il essaie de donner les signes d'une grammaire nouvelle, permettant de mieux exprimer les besoins et les préférences d'une population étouffée sous le béton, le papier, et l'inextricable circuit des décisions, et qui n'arrive pas à faire entendre sa voix.

Cette politique peut compter sur le concours des associations et devrait pouvoir compter aussi sur celui des entreprises, dont l'action peut aider la croissance douce à devenir une réalité quotidienne.

Enfin la nouvelle croissance sera plus utile, parce que mieux employée.

Chacun sait que les satisfactions retirées par la population des ressources procurées par la croissance ne sont pas proportionnelles à ces ressources. Décrite comme un instrument du développement de l'homme et de son bonheur, la croissance a un rendement qualitatif en réalité assez faible : les « pertes en ligne » sont importantes.

Le constater n'est pas condamner la croissance. J'ai souligné qu'elle nous restait indispensable. Mais c'est inviter à faire effort pour en améliorer les fruits.

En ce qui concerne les *biens de consommation individuels*, cet effort vient d'être amorcé. Il est indispensable. Le « consommateur-roi » décrit dans les traités d'économie, ne se rencontre guère dans la réalité. Certaine publicité, le conditionnement des produits, leur diversification trompeuse, leur vieillissement prématuré sont autant de moyens de manipuler le consommateur isolé et de déformer les structures de la consommation.

A cet état de choses, le collectivisme propose de remédier par le développement d'une planification toujours plus étroite. Remède sans doute équivalent au mal.

Le consommateur était exposé aux pressions des producteurs. Comme dans la fable de l'huître et des plaideurs, voici qu'apparaît un troisième larron, le politique, qui règle le problème à son avantage ; car le pouvoir de planifier, quel que soit celui qui l'exerce — ministre, fonctionnaire, délégué élu — est un pouvoir de dessaisir.

On connaît la méfiance profonde de la pensée collectiviste à l'égard de l'individu, de ses initiatives et de ses préférences. D'où son refus de lui permettre d'exercer ses choix lui-même. N'est-il pas significatif qu'aucun produit de consommation nouveau n'ait été proposé ou inventé par une économie collectiviste ?

Au contraire, dans l'économie pluraliste, c'est le consommateur qu'il faut protéger, pour qu'il puisse choisir librement. Vérifier la publicité, limiter éventuellement le renouvellement trop rapide des produits, ou leur pseudo-diversification : ce n'est pas le détail des mesures qui importe ici, mais l'intention, qui vise à permettre au consommateur de faire prévaloir ses intérêts et ses préférences.

Un même effort, mais plus difficile encore, doit être réalisé à *l'égard des grandes institutions sociales :* éducation, santé, aménagement des villes.

Le bon fonctionnement de ces grands systèmes, des équipements qu'ils supposent et des services publics qui en sont chargés détermine la qualité de vie des Français. C'est dire que leur amélioration constitue un objectif majeur.

Les résultats déjà atteints permettent d'envisager de nouvelles orientations où la qualité prendra progressivement le relais de la quantité.

Une analyse en profondeur des réalités sociales est indispensable pour éclairer cette action et notamment pour discerner les fausses et les vraies améliorations. Par exemple, si la multiplication des maisons de retraite a pour effet d'éloigner de leur domicile des personnes qui auraient pu rester chez elles, où est le progrès ? L'étude des conditions d'une réelle amélioration de la qualité de la vie offre un vaste champ au développement des sciences sociales. Il peut être assuré pour l'essentiel par les institutions locales et régionales, qui disposent d'une meilleure connaissance des aspirations, et sont plus proches des réalités humaines.

L'autre progrès est de tendre à une plus grande personnalisation des services rendus par les grandes institutions sociales, qu'il s'agisse d'éducation, d'habitat, de santé, de transports ou de loisirs. Cette personnalisation a certes ses limites, techniques et financières. Mais elle correspond à une nécessité sociale et politique : l'individualisation du service rendu au public caractérise une conception pluraliste de la société.

Dans cet esprit, la gestion des grands services publics doit appliquer une règle constante, la consultation sincère de l'usager : parents d'élèves, malades hospitalisés, usagers des moyens de transport...

Or l'usager est un citoyen qui s'exprime peu. Tantôt il est maintenu dans le silence ou l'isolement par une administration persuadée d'être seule à connaître l'intérêt général. Tantôt il est utilisé par des organisations qui, censées le représenter, se servent de lui à des fins politiques, pour des combats qui ne sont pas les siens.

C'est une obligation fondamentale, pour tous les responsables des services publics et des institutions sociales, de chercher loyalement à recueillir les avis de leurs usagers, de le faire dans des conditions telles que les arrière-pensées politiques et le sectarisme idéologique y aient le moins de part possible et de tenir compte au maximum des opinions ainsi exprimées; et, mieux encore, de faire participer les usagers à la gestion même de ces services et de ces systèmes.

Combien de temps nécessitera l'avènement de la nouvelle croissance? Assurément, elle non plus ne sera pas bâtie en un jour. Mais les résultats déjà acquis permettront, au cours du VIIe Plan, de marquer fortement cette inflexion.

En dernier lieu, la conduite du développement à long terme, pose à notre espèce, et notamment aux nations scientifiquement avancées, le problème d'un *certain contrôle de la science.*

L'idée de contrôler les travaux des savants heurte notre conception de la science, reconnue comme l'activité libre et désintéressée par excellence.

Pourtant, une telle orientation répond sans doute à une nécessité sociale. Ceci ne concerne pas les disciplines fondamentales, qui font progresser notre connaissance de l'univers, de la vie et de l'homme. Mais les orientations données à l'effort de recherche appliquée doivent être fixées en fonction des besoins tels qu'ils sont appréciés par la collectivité. Le coût de ces recherches, mais aussi leurs conséquences possibles le rendent nécessaire.

Cette question a été récemment posée dans sa dimension mondiale par l'université de Paris. Qu'on ne voie pas ici l'intention de limiter ou de mutiler le développement de la science. J'indique seulement que dans une société pluraliste, soucieuse de conduire son destin, un débat doit être ouvert entre la communauté des savants et les représentants de la collectivité nationale. Intéressant le peuple entier, il ne doit pas rester confiné dans le secret des bureaux et des laboratoires, mais se dérouler au grand jour.

CHAPITRE X

LIBERTÉ, ORDRE ET SÉCURITÉ

La société fondée sur le pluralisme des pouvoirs comporte inévitablement un risque d'affrontement et de désordre. Or le désordre livre les faibles à la domination des bruyants et des puissants. Et l'affrontement désintègre la société. D'où *le besoin d'ordre et de sécurité.*

L'ordre peut être attendu de la contrainte, ou de l'usage paisible de la liberté. Sur notre planète, la contrainte est le sort subi par la plupart des peuples. Nous est-il possible, à nous qui sommes libres et désordonnés, d'atteindre un ordre paisible ?

Cet ordre ne peut pas être, quoique beaucoup le pensent, le simple maintien de celui d'autrefois, dans sa forme traditionnelle. C'était l'ordre d'une société à dominante rurale, où l'information ne circulait qu'à peine. La liberté des opinions politiques, philosophiques et religieuses laissait intact le code, reconnu par tous, des comportements sociaux. L'autorité, revêtue de ses insignes, n'avait qu'à paraître pour impressionner et se faire respecter.

Cette société, et donc sa forme d'ordre, ont vécu.

L'immense majorité des Français vit dans la rumeur des villes. La radio et la télévision diffusent partout leurs messages nerveux. L'émancipation s'est étendue aux mœurs. L'autorité a cessé d'être un argument par elle-même.

Le nouvel ordre que cherche notre société doit tenir compte de ces données. Il ne peut s'agir d'une réaction marchant, bottée et casquée, à contre-courant de l'histoire. Il doit se fonder sur la pratique de la liberté.

Mais est-ce réaliste ?

Cette question est fondamentale, et la réponse n'est pas évidente. L'histoire fourmille d'exemples où l'on voit la liberté dégénérer en désordre, et le désordre rebondir en tyrannie.

Le propre d'un choix libéral et démocratique est de répondre oui à la question posée et d'en prendre le risque.

Optimisme justifié et, dirai-je, fondamental. Il n'y a rien de choquant à ce que, dans une communauté ouverte et libre, coexistent des hommes et des femmes dont les conceptions et les genres de vie sont différents. Il ne faut pas s'alarmer non plus si ce qui paraissait évident hier est remis en cause aujourd'hui. Le droit à la différence n'est pas l'équivalent du droit au désordre. Au contraire, nul ordre ne peut être établi en profondeur, c'est-à-dire accepté, s'il ne respecte pas ce droit à la différence. La liberté individuelle, en elle-même, ne menace personne.

Mais ce choix d'optimisme ne doit pas conduire à la négligence, ni à l'insouciance. Car l'homme reste un animal curieusement agressif, toujours disponible pour la violence. Celle-ci, qu'elle soit individuelle ou collective, n'est acceptable nulle part.

L'opinion publique est sensibilisée par *les manifestations de violence individuelle*, largement diffusées par les media, et qui frappent et mutilent de faibles victimes, enfants ou personnes âgées. Leur répétition, l'insécurité nocturne, font rôder l'angoisse. L'opinion ne sait sans doute pas qu'à l'heure actuelle le nombre des actes de violence est inférieur à ce qu'il était au XIXe siècle, dans une période dite d'ordre, mais elle devine, par un sûr instinct, ce fait sociologique selon lequel la violence a recommencé à croître à un rythme rapide depuis les années 65.

A cette insécurité, la collectivité doit répondre par la prévention et la sanction. Qu'on ne s'y trompe pas : seule la prévention peut atteindre la racine du mal. D'où la réflexion d'ensemble qui vient d'être confiée à un groupe d'éminents spécialistes sur les origines de la délinquance et de la criminalité. D'où également, dans les banlieues et les villes nouvelles, la nécessité d'une présence plus dense, et mieux intégrée au milieu humain, de certains services collectifs de sécurité, d'éducation, et de loisirs.

L'opinion, elle, appelle les sanctions. Celles-ci peuvent exercer un effet dissuasif mais touchent aussi au grand débat fondamental, qu'aucune société ne peut esquiver, sur la vie. Je n'ai pas à faire état d'une conviction personnelle; ma fonction m'assujettit au respect des lois. Mais que l'on évite à cet égard toute confusion : le droit de grâce n'est pas celui de juger, ni même celui de fixer une peine. Ce sont des tribunaux et des cours d'assises, peuplés de citoyens, qui exercent ces droits en toute souveraineté. Le droit de grâce est celui d'atténuer la peine prononcée, à titre exceptionnel, et pour des considérations humanitaires.

Ouvrir à l'heure actuelle le débat sur la sanction suprême serait susciter le hideux conflit entre la peur et la vie, entre l'horreur du crime et celle du châtiment. C'est pourquoi la seule démarche positive, quoique douloureuse, consiste à accentuer dans une première phase l'effort de prévention et de sécurité, pour permettre que vienne le moment où la société, délivrée de sa crainte, pourra débattre dans toutes ses conséquences du mystérieux, mais inaltérable droit à la vie.

La violence collective pose à notre démocratie des problèmes d'une autre nature.

La violence sociale revêt des formes multiples. Elle apparaît bien avant de se manifester par des désordres physiques. *Dès qu'une force, dès qu'un pouvoir, dès qu'un groupe se laisse conduire de façon excessive par son intérêt ou sa passion sans égard pour le bien commun, il introduit la violence dans la société.* Et, tôt ou tard, il la subira à son tour.

C'est vrai de *l'entreprise*. Il est normal qu'elle cherche à produire des richesses, car elle est dans son rôle. Mais si elle le fait au mépris de la sécurité ou des conditions de travail de son personnel, de la bonne foi de ses clients, ou de l'environnement naturel, bref des intérêts sociaux avec lesquels la recherche du gain est en conflit, elle commet une violence sociale, qui est ressentie comme une agression par ceux qui en sont les victimes.

C'est également vrai des *organisations de masse* de toute nature. Qu'elles défendent les intérêts de leurs membres, rien de plus normal. Mais si elles fixent systématiquement des exigences qu'elles savent inacceptables pour l'autre partie, si elles recherchent non le compromis, mais la défaite de l'autre ou la rupture, si pour faire sentir leur puissance, elles tirent avantage de la fragilité des édifices complexes, aux mécanismes délicats, que sont les sociétés modernes, alors elles commettent un acte de violence sociale.

Il en va de même encore lorsqu'*une administration,* forte de ses prérogatives, refuse d'entendre celui qui vient exposer un cas difficile, ou, dédaignant de reconnaître dans l'administré un être humain, lui applique par commodité une règle qu'elle sait être inadaptée.

C'est vrai enfin des *moyens de communication de masse,* écrits ou audio-visuels. Lorsqu'ils s'appliquent à transmettre l'information, même celle qui frappe, à montrer des images de la réalité, même saisissantes ou cruelles, à les accompagner de commentaires expressifs, ils exercent leur mission. Mais quand au nom du devoir d'information et à l'abri du droit d'expression, ils poussent le goût du sensationnel jusqu'à la simplification outrancière des faits ; quand ce goût conduit à l'étalage complaisant des attitudes ou des manifestations de violence collective, ou à la dramatisation systématique d'événements sans signification, et d'ailleurs bien vite oubliés, on se trouve placé aussi devant une manière d'agression.

***

Nous le constatons : il existe dans une démocratie un ensemble de comportements qui, sans pouvoir être réprimés par la loi, introduisent un degré de violence.

On pourrait s'y résigner, en y voyant le sous-produit de la liberté.

Mais la violence est comme le vent de sable sur la statue : il l'use, la défigure, jusqu'au jour où il l'ensevelit. Qui croit semer la brise récoltera l'ouragan. La paix, la tolérance sont nécessaires à la démocratie pluraliste française.

Mais d'où peuvent-elles venir ?

On ne peut les attendre que des acteurs sociaux eux-mêmes et des centres de pouvoir, y compris, bien entendu, l'État, à condition qu'ils accomplissent un effort de réflexion sur le contenu de leur mission et qu'ils se sentent soumis à la pression de l'opinion publique.

Une société démocratique est en droit d'attendre d'eux un comportement modéré et responsable.

Il leur revient de préserver les libertés dont ils jouissent, en évitant de les miner par les abus de la violence. Entreprises et groupements d'intérêt économique, organisations représentatives ou revendicatives, moyens de communication doivent entreprendre une réflexion déontologique, pour se demander : jusqu'où ai-je le droit d'aller ?

Le problème est particulièrement difficile lorsqu'il s'agit des organisations de masse, et des grands moyens de communication. Les droits qui sont en cause, droit d'association, droit d'expression, sont à ce point fondamentaux que toute délimitation ou restriction répugne à l'esprit démocratique, qui ne voit pas comment y procéder sans porter atteinte à ces libertés elles-mêmes.

Aussi sont-elles pratiquement inorganisées, chez nous comme dans la plupart des autres démocraties. Situation singulière quand on y réfléchit, s'agissant de pouvoirs aussi importants que celui de bloquer tel rouage fragile ou sensible de la société, ou de faire irruption dans la vie de millions de foyers. Il arrive que les droits individuels en fassent les frais : les délits de diffamation, de fausse nouvelle, d'entrave à la liberté du travail, pour ne citer que ceux-là, ne sont pratiquement pas réprimés. Quant à l'intérêt général, on sait depuis longtemps qu'il est la principale victime des abus commis au nom de la liberté.

Nous constatons que la même liberté, celle d'entreprendre, de s'organiser, de s'exprimer, n'a pas la même nature selon qu'elle est exercée de manière individuelle ou collective. L'exercice individuel de la liberté, inhérent à la démocratie, ne la met jamais en péril. Par contre, son exercice collectif qui constitue un « pouvoir », — contre-pouvoir ou anti-pouvoir — se situe à mi-chemin de la liberté et de la puissance.

La seule modération possible est celle de l'autodiscipline. Certes la puissance publique peut s'opposer aux excès les plus abusifs. Mais elle est tenue à rester prudente, pour ne pas risquer de frapper la liberté au travers de la puissance, comme le guerrier grec qui craignait d'atteindre la déesse Athéna, sous les murailles de Troie, en transperçant son adversaire.

C'est pourquoi la société démocratique doit pouvoir

compter sur l'autodiscipline de ses membres, en suscitant chez tous ceux qui exercent ces libertés collectives une réflexion publique sur les règles qu'ils doivent se tracer eux-mêmes : objectivité, modération, respect de la sensibilité d'autrui, droit à la rectification. Dans une société pluraliste, ce n'est pas seulement au législateur central, mais à chacun des corps sociaux de tracer les limites à ne pas franchir, pour ne pas ajouter à la violence.

L'impulsion et la sanction se trouvent dans l'opinion. C'est elle qui décide où s'arrête la liberté, et où commence le désordre. Ses arrêts sont souverains. C'est pourquoi il est fondamental qu'elle prenne sans ambiguïté le parti de la modération et de la responsabilité, contre l'irresponsabilité et la violence.

Il ne faut pas attendre pour le faire qu'éclatent les désordres physiques. Et qu'on ne se prononce pas en fonction de préférences politiques : la violence des amis n'est pas plus recommandable que celle des adversaires.

Vis-à-vis de la violence, c'est-à-dire de l'excès, de l'outrage et de la démesure, de l'égoïsme indifférent à la solidarité, de la politique du pire, l'opinion de la société démocratique ne doit montrer aucune indulgence.

Elle doit se former un réflexe de répulsion vis-à-vis des visages congestionnés et des voix bordant l'hystérie, comme aussi du vocabulaire de l'outrance et de la menace. Elle doit les blâmer d'où qu'ils viennent, et dès qu'ils apparaissent.

C'est ainsi d'elle-même, et en elle-même, que la société démocratique défendra sa propre liberté, et lui assurera d'être paisible.

CHAPITRE XI

UNE DÉMOCRATIE FORTE ET PAISIBLE

Pas de liberté, pas d'ordre, sans *institutions politiques* représentatives et organisées.

Depuis Marx, il est vrai, tout un courant de la société occidentale soutient le contraire. Dans une société entièrement débarrassée de ses injustices et de ses aliénations, l'État deviendra inutile. Il pourra dépérir. La société civile trouvera en elle-même la paix et l'ordre, et elle n'aura plus besoin d'un pouvoir politique pour les maintenir.

L'ironie de l'histoire veut qu'au nom de cette conception souriante, et pour préparer la voie d'une société sans État, se soit installée sur une grande partie de la planète une des formes les plus concentrées du pouvoir que l'humanité ait connues.

Cette constatation ne règle pas le problème. Car il existe des utopies qui, même contredites par les faits, restent porteuses d'avenir.

Ce n'est pas ici le cas. La conception de la nature humaine sur laquelle cette doctrine repose est démentie par tout ce que la science de l'homme, si récente soit-elle, nous apprend. Il n'est pas cet être innocent et paisible, vivant de cueillette et couronné de fleurs, que seule une société pervertie détournerait des rapports fraternels. Il est capable du meilleur mais aussi du plus redoutable, quand le triple feu du désir, de la haine et de l'ignorance s'allume en lui. Et ce dont il est incapable, c'est de ne pas rechercher la possession et le pouvoir. Les sociétés de nos frères animaux ne sont-elles pas minutieusement hiérarchisées, et ne défendent-ils pas, de leurs griffes et de leurs dents, leur parcelle de territoire?

Des institutions politiques sont nécessaires à la société pluraliste. Le dépérissement de l'État n'aboutirait pas à l'effacement du pouvoir, mais à sa privatisation. Seul le pouvoir public nous protège de l'excès du pouvoir privé.

Le constater ne doit pas nous conduire à la déification de l'État.

Il n'est qu'un instrument au service de la nation. La substance de la France réside dans son peuple et dans son sol. L'État doit être conçu, administré, perfectionné, en vue du service qu'il peut rendre à l'un comme à l'autre.

Il faut à la société pluraliste un *État authentiquement démocratique.*

Cela suppose que ses organes dirigeants reçoivent leurs pouvoirs d'élections libres, régulièrement répétées.

Cela implique également l'existence d'une opposition librement formée, s'exprimant sans contrainte, pouvant solliciter le suffrage populaire à égalité de droits avec la majorité, dès lors qu'elle respecte la loi commune des institutions.

La démocratie pluraliste est, par nature, dialectique. Seule l'existence d'une opposition, la critique qu'elle exerce, l'alternative qu'elle constitue donnent à la souveraineté du citoyen un pouvoir concret. Il devient un arbitre, celui à qui revient le choix final, et qui décide en dernière instance.

Rien n'est plus simple que de savoir si un régime politique est démocratique ou non, du moins dans les pays industrialisés, car les pays en développement posent d'autres problèmes. Il est inutile de se référer aux affirmations de ses dirigeants. Ce régime admet-il l'existence d'une opposition effective, disposant vraiment de la possibilité de devenir à son tour la majorité? Il est réellement démocratique et populaire. La refuse-t-il? Dans ce cas, quelles que soient les justifications avancées, il n'est ni populaire, ni démocratique.

L'État, pour administrer la société pluraliste, ne doit être ni envahissant, ni arbitraire.

Une société où les pouvoirs sont séparés, et où les individus sont responsables est le contraire d'une société bureaucratisée.

On ne peut évidemment songer à enfermer l'État dans ses seules fonctions régaliennes d'autrefois : défense, justice et monnaie. Toutes les grandes tâches sociales, éducation, santé, cadre de vie, développement industriel et agricole, appellent sous une forme ou une autre, une certaine intervention ou participation de l'État. Par suite, il est vain de définir à l'avance toutes les fonctions de l'État ou de vouloir tracer de façon intangible la limite de ses interventions.

Mais il doit être entendu qu'un État non bureaucratique vise à aider la société pluraliste à faire face à ses responsabilités, et non à se substituer à elle. Il n'intervient que si les ressorts de l'action privée, lucrative ou désintéressée, se révèlent impuissants pour accomplir une tâche sociale ou économique jugée indispensable.

De même, il préfère l'intervention temporaire, qui rétablit une situation ou répare un mécanisme, à l'intervention définitive. A l'intervention directe qui étend la sphère étatique, il substitue l'intervention indirecte, par la voie de conventions, contrats, recommandations et incitations.

Car l'État pluraliste ne se fait pas boulanger, sous prétexte qu'il faut du pain, ni médecin au motif qu'il veut les citoyens bien portants. Il respecte la légitimité et l'utilité des initiatives privées. Il veut servir la société des hommes et non se tenir à l'affût pour la dévorer.

L'État pluraliste n'est pas un pouvoir arbitraire.

L'État a accompli de grandes choses en France, mais il n'a pas laissé que de bons souvenirs, et a éveillé, de ce fait, une méfiance instinctive et durable. L'État capricieux et peuplé de privilèges des temps monarchiques ; l'État autoritaire et sanglant de la fin de la Révolution et de l'Empire ; l'État froid et cruel par indifférence de la Monarchie et de la République bourgeoises ; l'État veule et abandonné de l'entre-deux guerres.

Pour se protéger de l'État, les Français ont peu à peu assujetti le pouvoir étatique au respect de la loi. Cet effort n'est jamais entièrement achevé. Le législateur vient d'être soumis à un contrôle plus actif du Conseil constitutionnel. Et le Conseil d'État, qui exerce son jugement sur le pouvoir exécutif de la base au sommet, doit recevoir les pouvoirs nécessaires pour assurer, quoi qu'il arrive, l'exécution de ses arrêts.

Il est essentiel que l'État obéisse à la lettre de la loi. Mais ceci ne suffit pas. Dans une démocratie pluraliste il doit s'appliquer à connaître et à respecter les opinions et les intérêts des citoyens.

Cela ne veut pas dire qu'il doive se plier en chaque circonstance à leur avis, ni qu'il ne puisse jamais passer outre aux intérêts de tel particulier ou de tel groupe. Mais cela signifie que ses responsabilités ne l'autorisent pas à agir sans consulter, à décider sans expliquer, à trancher sans avoir fait le nécessaire pour parvenir à un accord.

Cette règle d'action moderne, fondée sur l'explication, la consultation et la concertation préalables n'est pas une manifestation de faiblesse, mais de considération pour la société pluraliste.

Son application est encore imparfaite, nous le savons. Elle implique de la part des représentants du pouvoir exécutif — du ministre, du chef de service, de chaque fonctionnaire — un effort qui est rarement spontané. Elle suppose une modestie authentique, c'est-à-dire la conscience que la détention d'un grade ou d'un titre ne rend pas omniscient ; un respect réel du citoyen, la perception du fait que « l'homme quelconque » a quelque chose à dire sur son cas, et est bon juge de ses intérêts ; l'aptitude à écouter et à parler, malgré la difficulté de communication et de langage dans nos sociétés complexes ; le renoncement au jargon prétentieux et inutile des spécialistes ; le goût et le courage du dialogue direct avec les individus et les groupes.

Bref une attitude d'esprit aux antipodes de la mentalité technocratique-bureaucratique, inévitablement secrétée par les grandes organisations.

Ni envahissant, ni arbitraire, *l'État pluraliste doit être fort.*

Il doit l'être non seulement pour faire respecter la communauté française à l'extérieur, mais pour empêcher qu'à l'intérieur les groupes d'intérêts et les organisations de masse, débordant les fonctions légitimes qu'ils remplissent dans la société, ne s'érigent en féodalités, ne privatisent le pouvoir à leur profit et n'imposent leurs objectifs ou leurs vues au détriment de l'intérêt général.

Un pouvoir fort doit être indépendant.

A sa manière, le slogan utilisé par une fraction extrême de l'opposition, qui, contre toute vraisemblance, accuse le Gouvernement d'être « le pouvoir des monopoles », c'est-à-dire des grandes entreprises, paraît exprimer cette exigence de l'indépendance de l'État. Il est bien vrai qu'un État qui s'asservirait à certaines entreprises, trahirait le premier de ses devoirs.

Mais faut-il accepter le slogan par lequel la même fraction définit son idéal de gouvernement : « le pouvoir des travailleurs » ?

L'expression est heureuse, mais à première vue seulement. Car l'homme n'est pas qu'un travailleur. Il est aussi consommateur, usager, épargnant. Il a une famille et une vie privée. Pourquoi ces aspects de sa personnalité, pourquoi ces fonctions sociales n'auraient-elles pas le droit de s'exprimer? D'ailleurs, lorsqu'on les interroge aujourd'hui sur leurs préoccupations, nos compatriotes placent de loin en tête de leurs soucis la crainte de l'inflation : réaction de consommateur, plutôt que de travailleur. Et les personnes âgées, les femmes sans métier, les jeunes en formation, sont-ils des citoyens de seconde zone? Le « pouvoir des travailleurs » ainsi présenté signifie en réalité le pouvoir de telle ou telle organisation qui se réclame des travailleurs. Ce qui n'est qu'une autre façon de dire : à nous le pouvoir.

Le slogan de l'État pluraliste, est : *le pouvoir aux citoyens*. C'est-à-dire aux hommes et aux femmes, pris dans leur diversité et leur réalité complexe, dans leur droit à la différence, et dans leur égalité fondamentale.

Indépendant, *l'État doit savoir se faire respecter.*

Non à cause de sa majuscule, non pour faire revivre les grands prêtres des temps pharaoniques, ni pour aider une caste ou une classe à maintenir ses privilèges ou à imposer ses conceptions, mais parce que sans un État démocratique respecté, il n'y a pas de communauté qui puisse fonctionner librement.

Le respect n'est plus une donnée, il s'acquiert. La toge, la robe ou le képi ne suffisent plus à l'établir.

Le développement de l'esprit critique constitue en soi un progrès, mais à condition de ne pas tourner au dénigrement et au négativisme. Il fait obligation à ceux qui ont en charge l'exercice de l'autorité de lui gagner le respect par la justice de leurs décisions, et l'ensemble de leur comportement.

Le fonctionnement des institutions politiques doit assurer la stabilité et l'efficacité indispensables à la vie démocratique.

La Constitution adoptée par le peuple français, en 1958, a permis de mieux équilibrer les pouvoirs, et d'assurer la stabilité de l'exécutif. Avec le droit de dissolution, le Président de la République dispose d'une prérogative qui fait contrepoids au pouvoir du Parlement de renverser le Gouvernement. D'autre part, le Parlement lui-même ne peut censurer le Gouvernement qu'en adoptant à cet effet une motion votée à la majorité absolue. Le Gouvernement, nommé par le Président de la République, est ainsi mieux protégé à l'égard des manœuvres des hommes et des partis. C'était le principal résultat cherché par les constituants de 1958. Et c'est pourquoi ces règles doivent être scrupuleusement appliquées et respectées.

La réforme de 1962, en confiant au suffrage universel le soin d'élire le Président de la République, fait dépendre son pouvoir du vote populaire. Il en reçoit son autorité, et c'est à lui, inévitablement, que seront demandés des comptes.

S'il apparaît indispensable que le Gouvernement soit uni et rassemblé autour de la politique qu'il conduit, car les Français, peuple frondeur, n'admettent pas d'être gouvernés par des hommes qui se querellent, il ne faut pas s'étonner, par contre, si certains des projets que le Gouvernement soumet aux Assemblées provoquent parfois des discussions difficiles.

La démocratie pluraliste n'est pas une démocratie d'acquiescement. A partir du moment où l'exécutif est assuré de sa solidité et de sa durée, il est dans la nature de nos institutions qu'il lui faille persuader le Parlement du bien-fondé de ses projets, et lutter pour obtenir son approbation.

A côté de sa fonction éminente de contrôle, le Parlement se trouve être, dans l'intervalle de deux consultations nationales, le lieu normal de la vie politique. C'est là que doivent s'ouvrir les grands débats. C'est là que doivent se discuter, sur le fond, les réformes nécessaires au progrès de la vie sociale.

Nous avons la chance historique de posséder des institutions à la fois efficaces et démocratiques. Mais elles sont récentes et de ce fait encore exposées à être remises en cause, d'autant plus que certains ne les acceptent que du bout des lèvres.

Tout doit être fait pour les maintenir.

Le problème essentiel que pose le fonctionnement de notre vie politique n'est pas, en réalité, institutionnel. Il tient au *caractère inutilement dramatique du débat politique dans notre pays.*

La vie démocratique est, certes, un débat et une compétition. Mais ce débat et cette compétition autour du choix des équipes et des politiques, peuvent laisser intact un accord fondamental sur les principes d'organisation de la vie sociale ou se présenter, au contraire, comme le heurt entre deux conceptions opposées de la société.

Dans les démocraties au fonctionnement le plus régulier — aux États-Unis, en Grande-Bretagne, en Allemagne fédérale et en Europe du Nord — c'est la première situation qui prévaut. Certes les élections partagent apparemment ces pays en deux parts égales, et c'est le résultat habituel de tout scrutin majoritaire. Mais ils ne se croient pas coupés en deux pour autant, car les principales familles politiques ont en commun une même conception de l'organisation sociale. Leurs divergences se situent à l'intérieur de cette conception. Chacune des équipes reconnaît à l'autre l'aptitude à maintenir l'essentiel.

Leur rivalité n'est pas une guerre, mais une compétition. Leur alternance au pouvoir ne représente pas une suite de bouleversements chaotiques, annoncés comme des drames et ressentis comme des révolutions, mais une suite d'inflexions dans la progression de la société. En confiant alternativement la conduite de leurs affaires à deux équipes opposées, mais partageant la même philosophie de base, ces pays concilient les nécessités de la continuité et celles du changement.

L'alternance est le propre des sociétés démocratiques avancées, dont l'organisation pluraliste n'est remise en cause par aucune des principales tendances qui les composent. Elle est le mode de régulation politique des démocraties paisibles.

L'état de divorce idéologique qui caractérise la société française, seule parmi les nations comparables, s'oppose, à l'heure actuelle, à ce qu'elle connaisse cette forme d'harmonie. Tout se passe comme si le débat politique n'était pas la compétition de deux tendances, mais l'affrontement de deux vérités qui s'excluent. Son style n'est pas celui d'une délibération de citoyens décidant ensemble de leurs affaires, mais celui d'une guerre de religion, à peine tempérée par la cohabitation.

Cet état de choses trouve son origine lointaine dans notre tempérament de notre histoire. Notre vie politique a toujours été exaltée par la passion méditerranéenne et l'absolutisme latin. Le cri de Voltaire, bannissant l'intolérance, reste clamé dans le désert.

Or cette situation ne répond aujourd'hui à aucune fatalité sociologique. La réalité française, nous l'avons vu, n'est pas celle d'un pays divisé en deux classes sociales opposées, mais d'une société déjà avancée sur la voie de l'unification. Il n'y a pas identité entre les limites des groupes sociaux et celles des familles politiques. Nos divisions politiques proviennent moins de déterminismes sociologiques, parfois invoqués, que de traditions historiques et de tempéraments individuels.

La direction dans laquelle il faut rechercher le progrès de notre vie politique apparaît alors clairement.

Il faut d'abord que soient préservés avec soin les acquis de notre démocratie : ses institutions, ses règles politiques et institutionnelles fondamentales, mais aussi la neutralité, au regard du débat politique, de la justice, de l'armée, de l'école et de l'administration. L'introduction de la lutte politique, de ses intolérances et de ses exclusives, au sein de ces institutions essentielles ne constituerait pas un progrès démocratique, comme certains le prétendent, mais une dangereuse régression. Toute tentative dans ce sens doit être combattue.

De même doit être écartée l'assimilation du combat politique à une sorte de guerre civile, menée par d'autres moyens. C'est pourquoi la « décrispation » de la vie politique française constitue une dimension essentielle de la modernisation de notre démocratie.

La dramatisation de la vie politique et le durcissement des attitudes font le jeu des adversaires du pluralisme. En accréditant l'idée que ce qui divise la société française est plus fort que ce qui l'unit, ils tentent de justifier l'excès ou l'injustice de leurs attaques. A l'inverse, souligner auprès des Français qu'ils doivent s'habituer à vivre en commun en respectant leurs opinions mutuelles, c'est préparer dans les esprits le pluralisme démocratique.

Ici apparaît la tâche historique qui incombe à tous les partisans sincères du pluralisme : celle de rendre irréversible l'option du peuple français en faveur d'une structure pluraliste des pouvoirs et de la société. De leur détermination et de leur persuasion dépendent nos chances d'affermir les institutions de la Ve République et d'engager définitivement notre pays dans la voie d'une démocratie moderne. C'est pourquoi nous appelons une majorité qui soit soudée par une ardente conviction, comme à l'aube de la Ve République, pour assurer le succès de l'option décisive.

Alors le vrai débat politique s'inscrira, chez nous comme chez nos voisins, à l'intérieur d'une même conception de la société commune à la grande majorité des Français, tolérante, ouverte respectant la séparation des pouvoirs et le droit à la différence : une conception pluraliste.

Le débat ne sera plus ce combat mythologique des Gorgones et des Méduses, celui du bien et du mal, qui colore encore notre vie politique d'une violence primitive et dangereuse, mais la compétition d'hommes et d'équipes pouvant œuvrer tour à tour pour le bien commun.

Et la France connaîtra une démocratie forte et paisible.

CHAPITRE XII

LA DÉMOCRATIE FRANÇAISE DANS LE MONDE

Je me souviens d'avoir visité, il y a quelques années, le moulin de Valmy, à l'est de Reims. Derrière sa charpente grise on aperçoit les plaines, entrecoupées de haies, où la jeune armée révolutionnaire, en habit bleu et parements rouges et les pieds en galoches, a défait les forces coalisées d'Europe. Face à la science militaire des professionnels des armées adverses, elle l'a emporté par l'ardent élan de sa foi patriotique.

En octobre dernier, j'ai parcouru la plaine de Borodino, où s'est déroulée la bataille de la Moskowa. Elle frappe par la modestie de ses mouvements de terrain, par la courte distance qui sépare le tertre où se tenait Napoléon de la fameuse redoute russe, haute d'à peine trois mètres, et que les Français n'ont arrachée qu'au soir, dans un amoncellement de corps, de canons et de chevaux. Quelle force poussait ainsi ces hommes à combattre, à trois mille kilomètres de leur plaine beauceronne ou de leur bocage poitevin, si ce n'est l'ardeur patriotique?

Le témoignage de ce patriotisme, nous l'avons retrouvé ailleurs, plus récent, plus douloureux, à Verdun, et dans les cendres mortes du camp d'Auschwitz.

Il existe entre la nation française et ses enfants un lien vigoureux, une fibre tenace que la société démocratique doit maintenir et même renforcer : le respect et l'attachement des Français pour la France.

C'est pourquoi la société démocratique ne saurait se contenter de résoudre les problèmes des Français, en négligeant ceux de la France. Elle doit confirmer et assurer la place et le rôle de la France dans le monde.

Deux attitudes guideront son action extérieure : la volonté de l'indépendance, et la pratique de la solidarité et de la coopération.

Pour une nation qui n'appartient pas au groupe, restreint à deux, des super-puissances, et qui vit dans un monde tissé de mille relations étroites, celles des échanges comme celles des communications, *l'indépendance* est-elle une attitude réaliste ?

Chacun sent qu'elle ne peut signifier désormais ni l'isolement, ni l'autarcie. Mais faut-il pour autant accepter comme une fatalité historique la domination des super-puissances ? Notre propre histoire, comme celle d'autres peuples, y compris des exemples contemporains, nous enseigne combien la volonté d'être soi-même contient de force et de réserve d'action. Cette force rejoint celle qu'on a vu cheminer tout au long de ces pages, et qui est la détermination des hommes à se gouverner eux-mêmes.

On aperçoit alors ce que signifie la volonté d'indépendance : le droit de décider nous-mêmes, en dernier ressort, de tout ce que nous considérons comme essentiel pour la collectivité française.

Mais un tel droit ne sera pas donné ; il se conquiert.

Il suppose d'abord que la France puisse compter sur ses propres forces pour assurer sa sécurité, et qu'elle poursuive, comme elle l'a fait depuis dix-huit ans, un effort de défense à la mesure de sa situation et de ses risques. La constitution et la disposition nationale des moyens de dissuasion nucléaire sont au centre de cet effort. Il est réconfortant de constater qu'après avoir été violemment combattu par l'opposition, au point qu'elle ait tenté de mobiliser contre lui les Français, ce choix crucial semble aujourd'hui recueillir l'assentiment général. Juste récompense d'une méritoire obstination, et de la clarté de conception de son initiateur. De la même manière, les Français doivent comprendre que, même s'il leur en coûte, leur intérêt vital est de doter leur défense des moyens conventionnels indispensables pour faire face à la diversité des situations, comme pour maintenir son rang sur le continent européen.

Mais l'indépendance ne repose pas seulement sur les moyens de défense.

Le refus d'un endettement extérieur excessif, la recherche de la sécurité des approvisionnements en énergie, le maintien d'un haut niveau de recherche et de réalisations technologiques, sont aussi des composantes de l'indépendance. Cela justifie, dans une vue à long terme, les efforts à poursuivre dans ces directions.

L'indépendance est enfin la récompense de l'unité.

A maintes reprises, comme si cela répondait à une sorte de prédilection, les Français se sont entre-déchirés au cours de leur histoire. Et la France a été exposée aux convoitises et aux pressions. En revanche, chaque fois qu'ils ont su préserver ou retrouver leur unité, ils ont fait respecter son indépendance. Longue leçon, tracée sur mille ans d'histoire, et qui doit rester éveillée dans la mémoire.

Dans le monde contemporain, l'indépendance appelle, comme ses compléments naturels *la solidarité et la coopération.*

Autour de nous, *l'Europe* s'organise. La France y apporte une contribution positive, par son adhésion initiale au traité de Rome, par la réconciliation franco-allemande, menée par le Général de Gaulle et le Chancelier Adenauer et, plus récemment, par l'institution fondamentale du Conseil européen.

Notre pays considère comme une nécessité pour les nations d'Europe occidentale, proches par leur mode de vie, leur civilisation, leurs institutions politiques, de s'unir entre elles dans un monde où émergent les superpuissances et où se regroupent partout, sous des formes diverses, des ensembles d'États : producteurs de pétrole, pays non alignés, membres de l'organisation de l'unité africaine.

Sur l'union de l'Europe, la démocratie française a une conception claire, dont elle ne cherche pas à imposer aux autres le détail, mais dont elle n'accepterait pas qu'elle se dissolve dans des structures confuses ou impuissantes.

Il s'agit d'abord de mener à son terme l'union économique et monétaire, selon les termes du traité de Rome.

Force nous est de constater que cette union nécessaire est loin encore d'être achevée. La première tâche est d'y parvenir.

Il faut ensuite faire progresser le fonctionnement confédéral de l'Union européenne.

Tâche difficile et originale, qui exigera de la part de tous les partenaires de l'Union l'élan, l'imagination et le pragmatisme. Mais tâche indispensable pour que l'Europe soit à même de participer aux orientations qui forgeront la destinée de la planète. Quant à la démarche pour y parvenir, elle repose sur les décisions des gouvernements et des parlements nationaux, seuls à même d'organiser l'union confédérale de l'Europe.

Achever l'union économique et monétaire, assurer le fonctionnement de la confédération européenne, voici, pour la France, le premier cercle de la solidarité.

La démocratie française s'attachera au développement du cercle plus large de *la coopération internationale*.

Pour notre pays, la diplomatie a cessé de se présenter en termes de conflits. Nous n'avons plus de revendication territoriale à exercer, et personne n'en présente à notre endroit. Nous ne pratiquons aucune forme d'impérialisme, ni économique, ni culturel, ni, bien entendu, politique.

Sans doute le monde reste-t-il dominé par des rapports de force, ceux qui s'établissent entre les super-puissances, et ceux qui sont maintenus entre les principales alliances. La compétition idéologique revêt, ici et là, un caractère interventionniste. Aussi longtemps que subsisteront ces rapports de force et ces affrontements idéologiques, la France continuera d'exercer ses responsabilités avec vigilance, en respectant ses alliances, dans le sens de la paix et du respect du droit des peuples à disposer d'eux-mêmes.

Elle continuera à œuvrer patiemment pour la détente. Si celle-ci ne résoud pas tous les problèmes, du moins constitue-t-elle la seule voie ouverte à une évolution pacifique. La coopération économique et technique, les relations culturelles, les rencontres périodiques des dirigeants au sommet, permettent d'établir, entre des pays ayant opté pour des systèmes différents, une communication d'informations et d'idées qui facilite la solution des problèmes concrets. La France se félicite de l'état d'esprit qu'elle rencontre chez ses principaux partenaires de la détente. Elle souhaite intensifier son contenu concret par une approche bilatérale et la modération souhaitable des confrontations idéologiques.

Au-delà des alliances et de la détente s'étend le vaste domaine de la coopération, dont les limites rejoignent celles de la planète.

Coopération, d'abord, avec les partenaires auxquels nous sommes unis par des liens privilégiés de culture et d'affection. Je pense aux États indépendants d'Afrique, et à l'exceptionnelle compréhension qui s'est établie entre eux et nous, dans le respect de leur dignité et de leur indépendance. La France continuera à apporter à cette œuvre jugée exemplaire, de part et d'autre, ses ressources et ses soins.

Coopération, aussi, pour la solution des problèmes communs du monde. L'économie internationale vacille encore sous le coup que lui a porté la crise de 1973. Plutôt que de céder à la tentation et aux risques de l'affrontement, la France a recherché la voie du dialogue. Celui-ci s'est noué et chemine au milieu des obstacles. La préférence donnée à la concertation sur l'affrontement n'était pas une attitude de circonstance. Elle exprimait notre conviction permanente que la solution des grands problèmes intéressant le développement économique ou la sécurité du monde ne peut plus être cherchée dans un cadre seulement national, ni même régional, mais qu'elle intéresse progressivement la communauté mondiale tout entière

Pour s'affirmer, l'indépendance de la France n'a nul besoin d'être hargneuse. Et lorsqu'elle pratique la coopération, la France ne risque pas de s'y dissoudre, car elle rejoint ainsi sa vocation.

Patrie des idées universelles, scène de la plus grande révolution politique des temps modernes, peuple qui a largement répandu sa langue et sa culture, la France démocratique ne se repliera pas sur elle-même. Elle restera un partenaire inventif et respecté du monde contemporain; gardant intacts ses traits et son visage, mais capable d'ouvrir son esprit et son cœur aux grands changements et à la nouvelle solidarité qui resserre l'humanité d'aujourd'hui.

CONCLUSION

UNE AMBITION POUR LA FRANCE

Pour vous, qui venez de parcourir ces pages, comment définir le projet qu'elles décrivent, par rapport à nos références habituelles ?

Il est aux antipodes du collectivisme. Par nature, un système collectiviste qui écrase et nie l'individu, est contraire aux aspirations des Français.

Ce n'est pas non plus un projet libéral classique, tel que la société américaine l'a rêvé, et l'exprime encore. Non que nous méconnaissions la simplicité et la force de la conception libérale. Mais elle fait souvent peser sur l'individu, replacé au centre du système, face à tous les hasards de la vie, à toutes les entreprises des hommes, une charge trop lourde, une destinée trop injuste, une solitude trop désespérée.

C'est au futur modèle européen de société que s'apparente le projet que nous proposons. Modèle non dénommé, mais que l'on voit prendre corps, à travers ses variétés nationales, sur l'ensemble de cette terre étroite et précieuse, de ce mince cap d'Asie où une certaine idée de l'homme, de sa mesure et de sa raison, a commencé son long périple.

Est-ce un projet « capitaliste »? Évidemment non, puisqu'il repose sur la notion de pluralisme et que, dans la mesure où des arbitrages sont nécessaires, il les confie non au capital, mais à l'expression démocratique de la souveraineté populaire.

S'oppose-t-il au socialisme? On constatera que les mots « socialisme », « socialiste » ont été évités à dessein. Socialisme de l'Allemagne Fédérale, socialisme de l'Europe de l'Est, socialisme des pays en développement? Un mot qui désigne des réalités aussi différentes ne peut pas être utilisé sans ambiguïté.

Si le socialisme signifie le sens de la solidarité, et la volonté que la société s'organise pour diriger son progrès, il n'y a rien là qui soit en contradiction avec ce que nous venons de dire. Mais s'il signifie la manipulation de la masse, l'initiative et la responsabilité paralysées par le centralisme bureaucratique, l'économie désorganisée par des expériences irresponsables ou coupée du monde extérieur, alors, il est vrai, l'antinomie est complète.

Notre projet est celui d'une société démocratique moderne, libérale par la structure pluraliste de tous ses pouvoirs, avancée par un haut degré de performance économique, d'unification sociale et de développement culturel.

Il exprime notre ambition pour la France.

En la décrivant, je pense moins à l'abondance des biens matériels, qu'à l'au-delà de l'abondance.

J'entends bien les protestations. Il est vrai qu'une nouvelle étape d'enrichissement collectif est encore nécessaire pour vaincre complètement la pauvreté, atteindre un niveau élevé de justice, améliorer la qualité de la vie et maintenir notre pays parmi les premières puissances, en dépit de ses dimensions démographiques et géographiques.

Mais si cette nouvelle étape est indispensable, la perspective nouvelle, celle dont nous sentons le besoin grandir en nous, se situe déjà au-delà, dans la recherche d'une autre dimension accordée à notre temps.

Toute conception exclusivement matérialiste de la société, en enfermant l'homme dans la seule limite de ses désirs et de ses appétits, le laisse sur sa faim et sa soif, même satisfaites. Il commence à apercevoir une autre lueur. Ceci explique des jugements peut-être désordonnés, comme la condamnation de la société de consommation ou l'engouement pour la croissance nulle, mais qui constituent des tentatives d'approches vers une nouvelle dimension de la vie sociale, celle qui exprimera la vie de l'espèce.

Et cette lueur ne doit pas s'éteindre.

La nouvelle dimension de la vie sociale, que cherche notre temps, revêtira, de plus en plus, la forme de la solidarité et de la fraternité.

Sans doute, le champ où se déploie la fraternité est-il plus ou moins étroit. Pour beaucoup, elle se cantonne au cercle réduit, mais essentiel, de la vie privée. Mais pour d'autres, il est permis d'espérer qu'elle dépasse cette limite, et fasse tomber les masques sans sourire que l'âge industriel a posés sur les visages. Et pourquoi cette perception fraternelle ne s'étendrait-elle pas aux peuples voisins d'Europe, et à ces autres peuples frères du monde, encore démunis et souffrants? Pourquoi ne gagnerait-elle pas progressivement les limites de l'espèce?

L'édification de notre société pluraliste exclut l'immobilisme, comme elle rend inutile la révolution.

Elle passe par la réforme. Plus exactement, elle suppose que le corps social trouve en lui-même l'énergie nécessaire pour améliorer ce qui doit l'être, la maturité indispensable pour en débattre, la patience pour mettre en œuvre les réformes, et la tenacité pour les faire aboutir. La force du lion et la patience du renard.

C'est la responsabilité du pouvoir politique de notre temps de conduire cet effort. Mais l'appui et le soutien des plus larges catégories sociales sont nécessaires à son succès.

Celui des cadres, des spécialistes, et des responsables. La société pluraliste n'a pas pour colonne vertébrale un parti unique ou une organisation totalitaire. Elle repose sur la capacité et la responsabilité de tous ceux qui, hommes et femmes, ont à tous les niveaux la chance de disposer d'une formation et d'un pouvoir autonome de décision.

Celui de l'ensemble des travailleurs à qui notre démocratie doit assurer la considération de la fonction essentielle qu'ils exercent, et leur promotion personnelle, au sein d'une société unifiée.

La démocratie pluraliste nécessite le concours de la

communauté scientifique et intellectuelle du pays, puisqu'elle diffuse dans tout le corps social la recherche des solutions et la prise des responsabilités. Elle n'est pas un projet fait à l'avance, mais un projet en voie de formation, qui a besoin de toutes les propositions et de tous les concours.

Enfin, ce projet compte sur la jeunesse : il lui est destiné. Qu'elle le prenne, qu'elle en débatte, qu'elle le remanie, puis qu'elle en fasse le sien.

Certains reprocheront à ce projet sa relative complexité. Il est vrai qu'on ne le fera pas tenir dans un slogan. Reproche ou éloge ?

On ne peut pas vouloir la diversité des libertés et des responsabilités, on ne peut pas préférer l'autonomie de la vie locale et celle des entreprises, ni permettre à chacun de protéger sa sphère de vie, en optant pour un système unique, centralisé et simplifié.

De même que le progrès de l'économie est allé vers des structures plus complexes, de même le progrès de la société ira vers une diversification des décisions, des institutions et des responsabilités.

Quelque chose en nous appelle toujours la simplification, et même le simplisme. Mais cet instinct est primitif, comme l'est celui de la violence. Il se détache à peine de l'ignorance.

La société de libertés sera une société évoluée, moins facile peut-être à décrire que les sociétés mécaniques, mais *plus élaborée, plus savante et,* en un mot, *supérieure.*

Notre intuition s'est déjà formée à accepter des réalités jadis insaisissables : la transmission des images à distance, la compréhension des données statistiques. De même notre esprit acceptera un jour, comme une réalité simple, la diversité et l'unité de la société de libertés autour de nous. N'est-il pas remarquable qu'une telle société ait été entrevue par les premiers prophètes du socialisme, comme devant constituer une phase finale d'évolution? Il se trouve que leur cheminement, bien souvent n'y conduisait pas. Du moins en reconnaissaient-ils ainsi l'attirance et la supériorité.

Voici l'Europe, qui s'unira, et où la France ne doit pas être dominée. Et puis voici la France, venue de si loin, la France des champs de bataille, celle des révolutions successives, celle des cris dans la rue et celle du matin doux à la campagne, la France qui peut se déchirer, comme elle en a l'habitude, ou qui peut, tout à coup, éveillée et songeuse, être l'une des premières à franchir le seuil de la nouvelle organisation de la société.

Il lui faut un projet, non qui excite ses querelles, mais qui les apaise. Un projet qu'elle puisse accomplir dans la liberté et dans la justice, dans le respect de sa diversité et dans sa longue marche vers l'unité.

D'où ce projet, conçu pour elle.

Après que tout aura été ouvert, libéré, humanisé, par notre effort commun, il restera à attendre que jaillisse d'un esprit, ou plus probablement d'un mouvement de la conscience collective, ce rayon de lumière nécessaire pour éclairer le monde, celui d'une nouvelle civilisation, réunissant dans une même perception spiritualiste, l'affranchissement de l'être et le tracé du destin de l'espèce.

Mais cela, nous ne le savons pas encore.

7 septembre 1976.

Achevé d'imprimer le 6 octobre 1976
sur presse CAMERON,
dans les ateliers de la S.E.P.C.
à Saint-Amand-Montrond (Cher)
sur Bouffant sans bois 480
des papeteries Condat
pour le compte de la Librairie Arthème Fayard
75, rue des Saints-Pères - 75006 Paris.

ISBN/2-213-00395-5

Dépôt légal : 4e trimestre 1976.
N° d'Édition : 5400. N° d'Impression : 1599-125.
Imprimé en France

H/35-6182-6